Clube dos Mistérios

O ENIGMA DAS ESTRELAS

Clube dos Mistérios

F. T. Farah
O ENIGMA DAS ESTRELAS

Ilustrações:
Samuel Casal

GERAÇÃO
jovem

Copyright © 2012 by F.T. Farah

1ª edição — março de 2014

Grafia atualizada segundo o Acordo Ortográfico da Língua Portuguesa de 1990,
que entrou em vigor no Brasil em 2009

Editor e Publisher
Luiz Fernando Emediato

Diretora Editorial
Fernanda Emediato

Produtora Editorial e Gráfica
Priscila Hernandez

Assistente Editorial
Carla Anaya Del Matto

Capa, Projeto Gráfico e Diagramação
Ilustrarte Design e Produção Editorial

Preparação de Texto
Valquíria Della Pozza

Revisão
Josias A. Andrade
Marcia Benjamim

DADOS INTERNACIONAIS DE CATALOGAÇÃO NA PUBLICAÇÃO (CIP)
(Câmara Brasileira do Livro, SP, Brasil)

Farah, F. T.
   O enigma das estrelas / F. T. Farah. — São Paulo: Geração
Editorial, 2013. — (Clube dos mistérios)

ISBN 978-85-8130-174-7

1. Ficção juvenil I. Título. II. Série.

13-11961   CDD-028.5

Índices para catálogo sistemático:
1. Ficção : Literatura juvenil   028.5

GERAÇÃO EDITORIAL

Rua Gomes Freire, 225 – Lapa
CEP: 05075-010 – São Paulo – SP
Telefax: (+ 55 11) 3256-4444
E-mail: geracaoeditorial@geracaoeditorial.com.br
www.geracaoeditorial.com.br

Impresso no Brasil
Printed in Brazil

À Mariana, pelo amor e dedicação que tornaram este e outros sonhos possíveis. Também pelas histórias de luzes misteriosas em Minas Gerais.

À Daniela, por apoiar, desde o início, minha carreira literária. Apesar de não gostar de discos voadores nem de extraterrestres, ela não fugiu da primeira história.

À vó Lourdes, que em nossa última conversa esteve atenta às minhas divagações sobre os mistérios da vida. Seu sorriso é uma lembrança que não se apaga jamais.

Há mais mistérios entre o céu e a terra do que supõe nossa vã filosofia.

William Shakespeare (1564-1616)

SUMÁRIO

Prólogo -- 9
E aí, vamos nessa? -------------------------------------- 13
Viagem para o desconhecido -------------------------- 17
A maldição do padre ------------------------------------ 23
Sempre tem a primeira vez ---------------------------- 31
Demônios gritam no escuro? -------------------------- 53
Conversas tenebrosas em volta da fogueira -------- 69
Injeção na coxa dói? ------------------------------------ 83
O templo da mãe serpente ---------------------------- 97
Um pouco de humano, um pouco de extraterrestre ------ 105
Um grupo secreto -------------------------------------- 131
Marcado para o resto da vida ------------------------ 139
Epílogo -- 151
Crie sua própria aventura ----------------------------- 155
Nota do autor --- 157
Referências musicais ---------------------------------- 159

PRÓLOGO

PASSAVA DAS 11 HORAS DA NOITE QUANDO BENTO deixou a fazenda do compadre Chico em sua velha caminhonete vermelha. Estava a pouco menos de vinte quilômetros de sua casa, em Morro do Ferro.[1] Conhecia o caminho como a palma da mão. Os primeiros cinco quilômetros eram asfaltados. O resto parecia uma montanha-russa de terra batida, repleta de pedregulhos. Ao passar pela última porteira, ligou o rádio. Acordara às 6 da manhã e não queria dormir ao volante. Perdera o melhor amigo em um acidente naquele mesmo trajeto. A voz de Raul Seixas tomou conta das caixas de som. Para espantar o sono, começou a cantar com ele:

---

[1] Morro do Ferro é um Distrito de Oliveira, em Minas Gerais, situado a 159 quilômetros de Belo Horizonte. O vilarejo está cercado por erosões naturais e artificiais que, segundo geólogos, o engolirão nos próximos séculos. Enquanto isso não acontece, os habitantes convivem com misteriosos acontecimentos que assolam a região.

Ô ô ô seu moço do disco voador
Me leve com você, pra onde você for
Ô ô ô seu moço, mas não me deixe aqui
Enquanto eu sei que tem tanta estrela por aí...

Olhou pela janela lateral. Como todos os moradores daquela região mineira, já ouvira diversos "causos" de luzes misteriosas que surgiam no céu e desapareciam sem deixar rastro. Havia até um morador que jurava, de pés juntos, ter sido sequestrado por extraterrestres. E viajado a bordo de uma nave espacial. "Não passa de um bêbado. Deve ter inventado tudo aquilo pra chamar a atenção das pessoas. Deve ser tudo bobagem. Sempre morei aqui e sempre fiz esse caminho. Se existisse alguma coisa, eu já teria visto", concluiu Bento. O rádio começou a falhar. E a voz de Raul Seixas foi substituída por um ruído agudo.

— Não vai me deixar na mão agora! — esbravejou, dando um murro no aparelho.

Silêncio. Tentou sintonizá-lo. Nada. "Já passou da hora de comprar um rádio novo", disse para si mesmo. Ao entrar na estrada de terra, sentiu a caminhonete chacoalhar mais do que o normal.

— Também preciso comprar um carro novo.

Estranhou quando um clarão atravessou as janelas. Conferiu o relógio: 23h36. Virou o rosto para a esquerda. Não enxergou nada de anormal no céu. Esticou a cabeça para o outro lado. Nada.

— Era só o que me faltava — queixou-se, estacionando e pegando a espingarda que carregava no banco de trás.

Desceu da caminhonete e tentou olhar para cima. Apertou os olhos. A luz era muito forte e parecia flutuar poucos metros acima de sua cabeça. Levantou a arma e deu um tiro em sua direção. Ela continuou imóvel. Alguém soprou palavras em seu ouvido. Forçou a vista. Ao lado de uma criatura estranha, enxergou uma pessoa. E reconheceu seu rosto. Assustado, voltou para a caminhonete e saiu em disparada. Olhou pelo retrovisor. A luz ficara para trás. O velocímetro marcava 120 quilômetros por hora. O rádio voltou a tocar. Era Sérgio Reis:

> *Tomara que seja verdade*
> *Que exista mesmo*
> *Disco voador!*
> *Que seja um povo inteligente*
> *Que traga pra gente*
> *A paz e o amor!*

De repente, a bola de luz ultrapassou a caminhonete e desapareceu no horizonte. Bento sentiu um calafrio.

— Eles existem — murmurou. — Se tudo o que o Rui conta é verdade, não é paz nem amor o que eles trazem. Não é à toa que o coitado vive bêbado. E o que ele... O que ele fazia lá?

E AÍ, VAMOS NESSA?

De: Vicentinho
Para: Alfredo
Enviada em: 12 de junho
Assunto: FÉRIAS!!!

Fala aí, Alfredo!

Estou escrevendo pra dizer q nestas férias vou pra Morro do Ferro com a minha família (pra variar um pouco). Como das outras vezes, a gente vai se encontrar no churrasco dos nossos pais e podia combinar coisas legais pra fazer. O q vc acha? Eu vou levar minha câmera digital e *walkie-talkies*. Vc tem notícia das meninas? Acho q deve ter acontecido alguma coisa com a Carmem. Mandei um *e-mail* faz tempo e ela ainda não me respondeu. Tomara q esteja tudo bem. Espero q vc me responda. Até lá.

[ ]'s
Vicentinho

De: Alfredo
Para: Jonas
Enviada em: 13 de junho
Assunto: Férias...

E aí, Jonas?!

O Vicentinho me escreveu sobre as férias de julho. Meu pai já disse q vou pra Morro do Ferro com ele. Pra dizer a verdade, não estou com nenhuma vontade de ir... É q tem uma garota na minha escola q tá pagando pau pra mim. Eu queria ficar com ela. Pensei em conversar com meu pai sobre isso. Talvez ele me entendesse. Mas fico envergonhado de falar sobre essas coisas com ele. Fica mais fácil me abrir com um amigo. O q vc acha que devo fazer?

Abs,
Alfredo

De: Jonas
Para: Carola
Enviada em: 15 de junho
Assunto: SAUDADE

Oi, Carola.

Faz tempo q vc não me escreve e tentei imaginar por quê. Talvez esteja muito ocupada com as provas do 2º bimestre. Prefiro pensar q seja isso. Fico com ciúme só de imaginar q vc arranjou um namorado. Sempre me lembro do tempo q a gente passou junto e conto os segundos pra te encontrar de novo. Estou com saudade... Sei q demorei muito pra dizer isso. Se não tiver tempo pra me responder, vou tentar entender. A gente se encontra de qualquer jeito em Morro do Ferro daqui a alguns dias.

Kisses,
Jonas

De: Carola
Para: Carmem
Enviada em: 15 de junho
Assunto: Novidades!!!

Oi, Carmem.

Adivinha de quem eu recebi um *e-mail*? Isso mesmo, do Jonas. Não é lindo??? Amei. Ele disse q tá com saudade e q não vê a hora de me encontrar nas férias. Até confessou q tá com ciúme, pensando q arranjei um namorado. Na verdade, aconteceram muitas coisas aqui em Ribeirão e não tive tempo de escrever mais, nem pra ele, nem pra você, nem pro Alfredo nem pro Vicentinho (q sempre enche minha caixa de mensagens com besteiras). Mudei de casa — precisei colocar todas as minhas coisas em caixas de papelão e depois da mudança descobri q algumas desapareceram, outras amassaram e outras quebraram. Brigo com meu pai até hoje. A Daisy deu cria, seis cachorrinhos lindos, minha mãe me deixou ficar com um deles, o Lori. Os outros, meu pai deu pra amigos do trabalho. Minha mãe escorregou na cozinha e quebrou o braço. Mas já está bem. Agora é só esperar as férias pra gente conversar direito. Quero saber suas novidades. E aí, beijando alguém?

Da amiga que te adora,
Carola (até rimou)

VIAGEM PARA O DESCONHECIDO

EM SÃO CARLOS, A CERCA DE 230 QUILÔMETROS DE SÃO PAULO

— Pai, não estou a fim de viajar pra Minas — disse Alfredo, na esperança de ficar na cidade durante o mês de julho.

— Como não, filho? Você sempre gosta de encontrar seus amigos nas férias... — rebateu Antônio.

— Mas preferia ficar aqui desta vez...

— Por quê? Posso saber?

— É que...

— Pode dizer, eu sou seu pai — incentivou Antônio, encarando o filho.

— Tem uma garota na escola...

— Ela é como a gente?

— Não. É branca.

— Você está apaixonado?

— Mais ou menos isso... Mas não sou só eu... ela também está a fim de mim. Se eu ficar aqui, pode rolar alguma coisa. Mas, se viajar com você, tenho certeza de que vai esfriar — desabafou Alfredo.

— Até entendo sua vontade. Mas você quer ficar sozinho na cidade? Você sabe como sua mãe era preocupada. Antes de morrer, ela me fez prometer que cuidaria bem de você — justificou seu pai, desviando os olhos para um porta-retratos na estante da sala. De lá, Marta sorria para ele. Sorria com aquele mesmo sorriso havia seis anos, desde que fora atropelada por um carro.

— Garanto que se ela estivesse aqui me deixaria ficar...

— Duvido — retrucou Antônio, virando-se novamente para seu filho.

— Mas pai, eu já tenho doze anos!

— Sinto muito, mas você vai ter que deixar o namoro pra depois das férias. Se for pra dar certo, quatro semanas não vão fazer a menor diferença.

— Algum dia eu vou fugir daqui e você vai se arrepender disso! — berrou Alfredo, levantando-se do sofá e indo para o quarto. — Não acredito que vou ter que ir para aquele fim de mundo — murmurou, trancando a porta.

EM GOIÂNIA

— Mãe, adivinha quem me escreveu? — perguntou Carmem, observando-a preparar uma sopa para o jantar.

— Quem, minha filha? — Estela fingiu interesse.

— Você não faz nenhuma ideia?

— O Vicentinho?

— Não, mãe. Ele me escreveu na semana retrasada e eu ainda não respondi.

— Então foi o Alfredo.

— Errou de novo. Vou dar uma dica: foi uma amiga.

— A Carola.

— Isso mesmo. Ela me contou que mudou de casa, a Daisy deu cria e a mãe dela escorregou na cozinha e quebrou o braço. Você sabia?

— Sério mesmo, filha? — preocupou-se Estela, desligando o fogão e olhando para ela.

— É, mas não foi grave. Já está bem. Sabia que os pais deixaram a Carola ficar com um dos filhotes? O nome dele é Lori. Por que eu não tenho um cachorrinho, mãe? Ela tem dois.

— Já conversamos sobre isso. Seu pai tem alergia a pelo de animais.

— Não tem, não. Isso não passa de desculpa esfarrapada pra não me dar um cachorro.

— Não vou mais falar sobre isso, Carmem. Se quiser, discuta o assunto com ele.

— Isso que dá ter um pai chato. Você também, viu, mãe? Não sei por que participa dessa mentira. Garanto que a mãe da Carola é superlegal.

EM SÃO PAULO

— Filho, o jantar já está na mesa! — anunciou Raquel, batendo na porta do quarto.

— Espera um pouquinho, mãe! Estou terminando uma fase nova! — respondeu Jonas, concentrado no jogo de computador.

— Seu pai está com fome.

— Então, diga pra ele começar.

— Você sabe que ele gosta da família reunida na hora das refeições.

— Está bem. Está bem! — irritou-se, dando uma pausa no jogo e indo à sala de jantar. — O que tem de bom pra comer?

Sentado à mesa, Nilton olhou para o filho com reprovação.

— Creme de aspargos — respondeu Raquel.

— Você sabe que eu odeio sopa!

— No almoço, fiz a batata frita que me pediu, agora é isso que vai comer, se não quiser morrer de fome.

— Senta, menino! — irritou-se Nilton. — Precisamos ter uma conversa séria.

— O que eu fiz desta vez? — indagou Jonas, acomodando-se na cadeira diante de seu pai.

— Que horas você foi dormir na noite passada?

— Não sei. Por quê?

— Mas eu sei. Você apagou a luz do quarto depois das 3h da manhã — disparou Nilton, franzindo o cenho.

— Minhas férias começaram ontem. E não sabia que você tinha virado agente do Bope — retrucou Jonas.

— Não interessa. Não é saudável passar o dia e a noite no computador. Você podia acordar mais cedo e ir ao Ibirapuera andar de bicicleta.

— Estou quase terminando um jogo. E minha bicicleta está com o pneu furado.

— Ainda bem que viajaremos para Morro do Ferro amanhã — disse Nilton, observando Raquel preencher a tigela do filho com creme de aspargos. — Lá, você não vai ter computador. Quem sabe, não acampa com seus amigos em meio à natureza...

— Boa ideia, pai.

EM RIBEIRÃO PRETO, A CERCA DE 100 QUILÔMETROS DE SÃO CARLOS

Querido diário,
Amanhã viajarei para Morro do Ferro. Estou louca pra encontrar o Jonas. Faz tanto tempo... Como será que ele está? Deve continuar lindo. Hoje recebi um e-mail dele. Tão fofo...

— Carola — disse Sofia, abrindo a porta de seu quarto.
— O que foi, mãe? Eu estava escrevendo no meu diário — impacientou-se, fechando o caderno e sentando-se na cama.
— Você já arrumou suas coisas para a viagem? Seu pai quer sair daqui amanhã cedinho.
— Ele sempre diz isso, mas acaba saindo depois do almoço.
— Só que, desta vez, ele precisa passar em São Paulo antes.
— Sério?
— Por que a animação?
— Nada...
— Já sei. É por causa do filho do Niltinho... — insinuou Sofia, esboçando um sorriso.
— Para com isso, mãe. Você não precisa fazer a janta?
— Seu pai acaba de me ligar. Vamos jantar fora.
— Que legal. Pizza, pizza, pizza! Preciso me trocar.
— E suas malas?
— Estão quase prontas. Na volta, termino de arrumar tudo.

EM BELO HORIZONTE

— Pronto, Vicentinho. Terminei de arrumar sua mala — disse Regina, fechando o zíper e olhando para o filho.

— Não esqueceu nada, mãe?

— Você não saiu do meu lado e me viu arrumar tudo.

— Eu também quero levar a câmera digital. E os *walkie-talkies*... Mãe, você sabe que horas a gente chega lá?

— Talvez no fim da tarde.

— Eu escrevi pro Alfredo, mas ele não me respondeu. A Carmem também não. Por que será?

— Não sei, filho. Talvez estejam se preparando para viajar e não tiveram tempo.

— Mas para a Carmem eu já escrevi faz tempo.

— Você vai ter muito tempo pra conversar com eles durante as férias. Agora, preciso dar de mamar à sua irmãzinha.

— Enquanto isso, vou terminar de separar minhas coisas.

A MALDIÇÃO DO PADRE

POUCOS DIAS ANTES DA VIAGEM, ALFREDO TREINARA diante do espelho o pedido de namoro. A cada quilômetro percorrido ao lado do pai, os planos ficavam mais distantes. Apesar disso, sua cabeça resistia. Quanto mais os dois se aproximavam de Morro do Ferro, mais ela se agarrava às lembranças de Victoria. "Ela tem o sorriso mais lindo do mundo", pensava. Diversas vezes, tentava imaginar o que aconteceria se tivesse ficado em São Carlos. Ou melhor, o que gostaria que tivesse acontecido. Primeiro, tomaria coragem de ligar para ela. Poderia ensaiar uma tarde inteira. Poderia discar inúmeras vezes o número de seu telefone e desligar no primeiro toque. Até que finalmente tomaria coragem e marcaria um encontro diante das salas de cinema do *shopping*. "A Joana é amiga da Victoria e poderia me passar seu telefone", pensou. "Mas ela é chata e insistiria para saber o que eu queria conversar com ela. Bom, era só inventar uma desculpa", deduziu Alfredo, imaginando o desfecho da história: ele e Victoria passeando de mãos-dadas na quadra de esportes da escola durante o intervalo, no primeiro dia de volta às aulas.

— Chegamos, filho — disse Antônio, trazendo Alfredo de volta à realidade e apagando o sorriso de seu rosto.

— Droga...

— Eu sei no que você está pensando, filho. Tente me entender. Não fique magoado comigo.

— Tarde demais — resmungou Alfredo.

— Será que seus amigos já chegaram?

— Não faço a menor ideia.

— Se quiser ficar com a cara virada pra mim, tudo bem. Mas logo a gente vai chegar à casa dos seus avós. Então, tente melhorar seu humor. Eles gostam muito de você e vão ficar bem tristes se descobrirem que você veio arrastado para cá. Entendido?

— Farei o possível.

Jonas chegou a Morro do Ferro relembrando a última vez em que estivera lá. Havia pouco menos de um ano, roubara um beijo de Carola. "A boca dela era tão macia", pensou, recordando os olhos verde-claros surpresos com sua ousadia. Conversaram muito pouco depois disso. Sempre havia alguém por perto para atrapalhar. Além disso, as últimas férias de julho passaram voando. "Será que agora a gente vai ter mais tempo sozinhos?", perguntou-se. Ele precisava arrumar alguma maneira de despistar os outros amigos. "Preciso me livrar da Carmem. Ela não desgruda da Carola." Mas não era só a ribeirão-pretana de olhos claros que ocupava seus pensamentos. Ele não terminara o jogo do computador e desejava arranjar alguma diversão naquele "fim de mundo".

— Niltinho, você se lembra de quando a gente era jovem e passava a noite contando estrelas cadentes? — Raquel quebrou o silêncio.

— Lembro que você fazia pedidos misteriosos. Até hoje não sei de nenhum. Pelo menos, algum se realizou?

— Estamos casados e temos um filho inteligente.

— Se eu vir uma estrela cadente nestes próximos dias, vou pedir pra ganhar na loteria — comentou Nilton, com uma risada contida.

— Você podia ser mais sensível — reclamou Raquel.

— Por falar em estrelas cadentes, você se lembra das histórias sobre discos voadores que seu avô contava? Ele dizia ter visto algumas dezenas sobrevoando a fazenda.

— Sempre que ele via algo estranho no céu, no dia seguinte algum boi ou vaca aparecia morto no pasto, sem várias partes do corpo. Era horrível ver aquilo.

— Os alienígenas devem curtir um churrasco — brincou Jonas, atento à conversa de seus pais.

— Você está brincando, mas seu pai e eu já vimos coisas estranhas no céu de Morro do Ferro, não é Niltinho?

— Quando morávamos aqui, isso era rotina. Acho que o único que nunca viu nada é seu tio Bento. Tem gente que até já conversou com ETs. Lembra-se do Rui, Raquel?

— Aquele bêbado fedido? Bebeu tanto, que deve ter fundido o cérebro e fica inventando histórias pra assustar as pessoas. Nele não acredito de jeito nenhum.

— Legal! Eu sempre venho pra cá nas férias e não sabia de nada disso — disse Jonas.

Ele acabava de ter uma ótima ideia: divertir-se à custa dos amigos inventando histórias terríveis sobre ETs sinistros e perversos.

Carmem chegou à casa da tia Delza quase às 5 horas da tarde. A irmã de sua mãe e o marido, Jairo, preparavam-se para tomar café com pão de queijo. Gigante e Perigo correram para o portão e, com latidos, deram as boas-vindas à família recém-chegada.

— Não vejo qual problema em ter um cachorro — resmungou Carmem ao se aproximar dos cães de seus tios, ainda ressentida com a discussão que tivera com a mãe na noite anterior.

— Não comece, Carmem! — queixou-se Estela.

— Quero ver o pai ter alguma crise alérgica durante as férias — provocou a filha.

— Olha quem chegou! — disse Delza ao abrir a porta e encontrar seus hóspedes.

— Oi, tia — cumprimentou Carmem, abraçando-a.

Os cães pulavam em suas pernas querendo repartir a alegria.

— Oi, Delza — saudou Estela, já na varanda.

— O Jairo está? — perguntou Otávio.

— Está na cozinha. Vocês chegaram em boa hora. Vamos tomar café com pão de queijo.

— Tia, prefiro chocolate quente.

— Poxa... Pedi pro seu tio comprar Mate Couro[2], mas me esqueci do chocolate em pó — lamentou Delza.

---

[2] Refrigerante que combina guaraná com as ervas-mate e chapéu-de-couro. É produzido pela empresa homônima, instalada em Belo Horizonte.

— Não se preocupe com isso. A Carmem toma o que tiver — disse Estela, seguindo a irmã para dentro de casa.
— O Jairo vai gostar de saber que vocês já chegaram. Depois você pode brincar com o Gigante e o Perigo, Carmem.

— Fujam daqui! Esta cidade é maldita... Eles nos vigiam... Aqueles demônios! Não adianta trancarem os portões, nem as portas, nem as janelas — vociferava um indigente segurando uma garrafa de cachaça embrulhada em papel de pão. — Eles nos levam pro inferno, eles espetam nosso corpo...
— Papai, cuidado! — berrou Vicente ao ver o maltrapilho perder o equilíbrio e cair diante do carro. Francisco freou bruscamente, a tempo de evitar o atropelamento. No banco de trás, presa na cadeirinha de bebê, Nina começou a espernear.
— Desgraçado! — gritou Regina, pegando a filha e embalando-a para que parasse de chorar.
— Calma, querida — disse Francisco, recuperando-se do susto. — Ainda bem que não aconteceu nada. Vamos ajudar o homem. Ele não deve estar bem — comentou, descendo do carro.
— Ajudar... — resmungou a mulher, inconformada com o gesto do marido.
— Regina! — exclamou Francisco surpreso, levantando o bêbado pelo braço. — É o Rui!
— Mamãe, quem é Rui?
— Depois te digo — esquivou-se Estela, atenta ao que acontecia do lado de fora do carro.

— Está tudo bem, Rui? — perguntou-lhe Francisco, com o rosto levemente virado para o lado, na tentativa de se livrar daquele cheiro terrível de urina, suor e cachaça.

— Quem é você? — retrucou o indigente, sem entender direito o que acontecera.

— Não se lembra de mim? Eu sou o filho do Agenor Carvalho, o Chiquinho.

— Leve sua família daqui... Esta é uma terra maldita. Os demônios andam à noite pelas casas. Leve sua família daqui! — berrou Rui, sacudindo a poeira das roupas esfarrapadas e retomando o caminho, cambaleante.

— Regina, você viu? Quando será que o Rui voltou pra cidade? Ele tinha sumido outra vez — disse Francisco, de volta ao carro.

— Não deveria ter voltado nunca. Ele só sabe perturbar as pessoas e poluir o ar. Como fede... Dava pra sentir daqui até com o vidro fechado. Você vai ter que tomar um banho quando chegar à casa dos seus pais.

— Pai, você conhece aquele mendigo? — perguntou Vicente, inclinando-se na direção do motorista.

— Sim... — respondeu Francisco, com a voz distante.

— Pai, por que aqui é uma terra maldita? — insistiu seu filho.

— É uma antiga história. Dizem que certa vez...

— Um padre se apaixonou por uma mulher. Certo dia, o sacristão pegou os dois atrás do altar. Pelados. Revoltado, ele saiu da igreja aos berros dizendo que o padre servia ao demônio e que os moradores deveriam matá-lo para se livrarem da ira de Deus. O padre foi amarrado com a mulher em uma figueira na praça. Antes de morrer, ele amaldiçoou Morro do Ferro dizendo que o povoado jamais veria o progresso. Alguns dias depois um morador contou que uma bola de fogo apareceu no céu, jogou um raio na figueira e ela secou na horinha. Segundo a lenda, a mesma bola de fogo foi responsável pelas erosões que não param de aumentar em volta de Morro do Ferro. Muitas pessoas se mudaram daqui e as que ficaram diziam que os demônios vieram se vingar da morte do padre. Diziam que ele era querido pelo Diabo. E, segundo algumas pessoas, eles estão aqui até hoje.

— Assim você assusta a menina — criticou Sofia.

— Mãe, eu não sou mais criança — protestou Carola, interessada nas lendas do povoado. Eram quase 9 horas da noite e eles acabavam de chegar.

— Será que a Cândida não está preocupada? — indagou Sofia, querendo mudar de assunto.

— Pelo que conheço da minha irmã, ela não está nem aí. Até se esqueceu de que a gente viria hoje — justificou Murilo.

— Pai, e a Mãe d'Ouro? — insistiu Carola, ansiosa para ouvir sobre outra lenda famosa de Morro do Ferro.

— A Mãe d'Ouro era uma bola de luz que aparecia sobre um morro, não muito longe daqui. E sempre durante a noite. As pessoas que viam moravam em fazendas, perto de lá. Elas contavam que era lindo, mas também... — explicava Murilo, fazendo uma pausa antes de continuar — ... assustador. O morro inteiro ficava iluminado por vários minutos até a bola se esconder de novo. Dentro da terra.

— E por que tem esse nome? — quis saber Carola.

— Os roceiros acreditavam que sua luz amarelada e reluzente era a fonte de todo o ouro do mundo. Quem se atrevesse a subir o morro querendo escavar a terra e fazer fortuna desaparecia misteriosamente. E nunca mais era encontrado.

— Já basta, Murilo! — esbravejou Sofia.

— Chegamos — anunciou o marido, estacionando o carro diante da casa de sua irmã. — Quero tomar um banho quente e descansar.

A LENDA DA MÃE D'OURO

Em Rosário, nas margens do rio Cuiabá, dizem ter existido um mineiro ganancioso que maltratava seus escravos no garimpo de ouro. Certo dia, Pai Antônio, um escravo já velho, entrou na floresta, sentou-se no chão e chorou. De repente, apareceu uma mulher resplandecente como o sol. Ele seguiu suas instruções e conseguiu uma enorme quantia de ouro. Doou tudo ao patrão para escapar de novos castigos. De nada adiantou. Para livrá-lo do sofrimento, a Mãe d'Ouro exterminou o senhor ganancioso. Desde então, ela aparece sob a forma de uma esfera de luz amarelada pairando sobre montanhas e cruzando os céus. Os moradores de Morro do Ferro que o digam.

SEMPRE TEM A PRIMEIRA VEZ

SEM COMPUTADOR NA CASA DO TIO BENTO, JONAS ocupou seus pensamentos com Carola e inventou histórias para assustar os amigos. Se a sugestão de seu pai fosse aceita por todos, eles acampariam em breve. "O Vicentinho vai sentir tanto medo dos alienígenas, que nunca mais vai querer voltar pra cá", pensou, abrindo um sorriso. Ele se revirava na cama de um lado para o outro. Conferiu o relógio de pulso: 23h11.

— O tempo não passa nunca — resmungou.

No dia seguinte deveria acordar cedo. A turma logo chegaria para o tradicional churrasco de boas-vindas. E ele precisava se preparar para receber os amigos. "Tomara que a Carola chegue primeiro", desejou. Só assim teriam tempo para conversar sozinhos. Pensando nela, pegou no sono. Acordou com uma sensação estranha. Parecia haver mais alguém no quarto. Olhou em volta. Estava sozinho. Fechou os olhos. "Você é o escolhido", sentiu alguém sussurrar em seu ouvido. Deu um salto.

— Que droga é essa? — perguntou-se, acendendo a luz. Investigou embaixo da cama. Não havia ninguém. Consultou o relógio: 2h33.

— Não acredito que perdi o sono. Vou estar acabado amanhã — reclamou, abrindo a porta do quarto e caminhando em direção à cozinha. Conseguiu segurar o grito ao enxergar os contornos de um homem sentado à mesa. Com as mãos trêmulas, acendeu a luz.

— O que está fazendo acordado a essa hora, rapaz? — perguntou-lhe o tio Bento, com uma caneca de metal azul na mão.

— Vim tomar um copo d'água. E o senhor? Tomando café?

— Chá de camomila. Dizem que ajuda a dormir.

— O senhor também perdeu o sono?

— Mais ou menos... Quer um pouco de chá? — esquivou-se Bento, levantando-se e pegando uma xícara de porcelana.

— Se ajudar a dormir, quero — aceitou Jonas, sentando-se diante dele. — Tio, você nunca viu disco voador?

— O quê... o quê... Por que está me perguntando isso? — retrucou Bento, arregalando os olhos e batendo, com força, a caneca com chá diante dele.

— Porque meu pai disse que quase todo mundo daqui já viu, menos o senhor — esclareceu Jonas, sorvendo um pouco da bebida morna.

— Isso era verdade. Até uma semana atrás — revelou seu tio, encarando-o.

— O que aconteceu?

— Jura não contar pra ninguém?

— Claro!

— Eu voltava da fazenda do meu compadre Chico. De repente, apareceu uma luz tão forte, que parecia que a noite tinha virado dia.

— E o que o senhor fez? — adiantou-se Jonas.

— Desci da caminhonete com minha espingarda e meti bala.

— Nossa, tio! Conseguiu abater algum alienígena?

— Que nada. O troço nem se mexeu. Mas eu vi...

— O que o senhor viu?

— E ouvi. A voz entrava na minha cabeça.

"Você é o escolhido", alguém parecia sussurrar aquilo no ouvido direito de Jonas. Ele sentiu calafrio. E perguntou:

— O que... O que disseram?

— Deixa pra lá.

— O que aconteceu depois?

— Entrei na caminhonete e pisei fundo no acelerador. A luz ficou pra trás, até que me ultrapassou e desapareceu no horizonte.

— O que o senhor acha que era?

— Não sei. E talvez seja melhor nem descobrir. O problema é que não consigo dormir direito desde então — respondeu, terminando o chá de camomila. — Bem, amanhã é o churrasco e preciso estar mais disposto. Vou tentar dormir. Boa-noite — prosseguiu, levantando-se.

— Boa-noite — disse Jonas, tomando o chá em um gole e voltando para o quarto a passos largos.

Não demorou para pegar no sono. No dia seguinte, sua mãe foi acordá-lo às 11h15 da manhã.

— Jonas, está na hora de levantar. Daqui a pouco seus amigos chegam.

— E daí? — resmungou, sonolento.

— Você não vai querer encontrar a filha do Murilo de pijama e com a cara amassada — justificou Raquel.

Ele saltou da cama. Escolheu cuidadosamente o figurino: calça *jeans*, camiseta com estampa do Tintim e o tênis novo comprado especialmente para as férias. Escovou os dentes e passou um perfume amadeirado. O relógio de pulso marcava 11h47 quando Jonas deixou o quarto e foi ao portão da casa esperar os amigos. "Tomara que ela chegue primeiro", torcia em pensamento, quando o carro de Carola estacionou a poucos metros. Seu coração disparou e ele mal conseguiu abraçar Sofia ou apertar a mão de Murilo.

— Tudo bem? — cumprimentou-a, envergonhado.

— Tudo — respondeu Carola, aproximando o rosto para ganhar um beijo.

— Como está Ribeirão?

— Na mesma. Ontem, passei em São Paulo antes de vir pra cá.

— Recebeu meu *e-mail*?

— Desculpa não ter te respondido... Aconteceram tantas coisas... Nem por isso você deve pensar besteira — respondeu Carola, atropelando as palavras, também nervosa com o reencontro.

— Como assim?

— Não arranjei nenhum namorado — ela esclareceu, com o rosto avermelhado.

— Você continua linda.

— Obrigada... Pensei muito em você.

— Senti saudade.

— Eu também — disse Jonas, abraçando-a. "Preciso beijar a Carola antes que alguém mais chegue", concluiu, afastando o rosto e encarando seus olhos esverdeados. Ao fundo, percebeu pessoas se aproximarem do portão. Eram Vicente, Francisco e Regina, com Nina no colo.

— Não! — deixou escapar. "Esse moleque me paga", pensou.

— Oi, gente! — saudou Vicente, entusiasmado. Apertou a mão de Jonas e deu três beijos na amiga, que precisou abaixar um pouco para que ele alcançasse seu rosto.

— Oi, Vicentinho, tudo bom? — perguntou Jonas, se mordendo de raiva.

— Tudo. E com vocês?

— Tudo — responderam em uníssono.

Francisco e Regina cumprimentaram os dois e seguiram com Nina até o quintal, onde os demais adultos conversavam e preparavam o churrasco.

— Eu não via a hora de chegar logo este dia. Ontem, quando a gente chegou aqui, meu pai quase atropelou um bêbado. Ele caiu na frente do carro e vocês nem imaginam... Meu pai era amigo dele — contava Vicente, eufórico, sem se dar conta de que os amigos não estavam interessados em sua história.

— Você não vai entrar? — impacientou-se Jonas.

— Quando vocês forem, eu vou. Carola, por que você não respondeu aos meus *e-mails*?

— Aconteceram muitas coisas... — explicava até ver o amigo de São Carlos chegar com o pai. — O Alfredo parece triste — comentou.

— Depois te conto o motivo — cochichou Jonas.

— Quem nesta cidade anda de carro? Tudo é tão perto. Caminhar é saudável — comentava Antônio, observando dois carros estacionados na frente da casa.

— Deixa de ser chato — repreendeu-lhe Alfredo.

— Só podia ser o Murilo e o Chiquinho — prosseguiu seu pai, olhando para Carola e Vicente. — Como estão, meninos?

— Pai, não tem nenhuma criança aqui. E seus amigos estão te esperando no quintal — disparou Alfredo.

— Espero que estejam mais bem-humorados do que você — alfinetou Antônio, seguindo ao encontro deles.

— E aí, Alfredo? Tudo bom? — perguntou Carola, após dar um beijo em seu rosto.

— Uma merda — ele respondeu, franzindo o cenho.

— Recebi seu *e-mail*. Mas não deu tempo de responder — justificou Jonas, estendendo a mão para cumprimentá-lo.

— Não tem problema.

— O que a gente pode fazer de legal neste fim de mundo? — queixou-se Alfredo, cabisbaixo.

— O que vocês acham de acampar? — sugeriu Jonas.

— Depois das histórias que meu pai me contou, eu tenho medo. Vocês conhecem a história da Mãe d'Ouro, que aparece em cima de um morro, próximo daqui? — indagou Carola, esperando respostas negativas.

— Ainda não... Mas bem que ia ser legal uma aventura. Essas férias seriam inesquecíveis — insistiu Jonas.

— Eu topo fácil. Mas será que nossos pais vão deixar? — considerou Vicente.

— A Carmem! — anunciou a amiga de Ribeirão Preto, abrindo um largo sorriso. Jonas olhou torto. "Ela vai querer roubar a atenção da Carola até o fim das férias. Preciso dar um jeito nisso", pensou.

Todos seguiram juntos até o quintal. Os primeiros pedaços de carne já saíam da churrasqueira. Os pais comiam, bebiam cerveja e jogavam conversa fora. Os filhos tentavam encontrar uma maneira de convencê-los a deixá-los acampar. Alfredo estava desanimado, mas queria que as férias valessem alguma coisa. Certamente uma aventura faria com que os dias passassem mais depressa. Vicente topava tudo, queria se divertir com os amigos. Carmem não gostava de mato, e só de imaginar pequenos insetos chupando seu sangue sentia arrepios, mas não ficaria sozinha na cidade. Carola e Jonas se entreolhavam o tempo todo. Para ela, estar junto dele era o que importava. Enfrentaria até a Mãe d'Ouro para ganhar outro beijo. Jonas estava empolgado para assustar seus amigos. Também desejava beijar Carola. Mas conquistar seu coração seria apenas um detalhe da aventura planejada. Ou, talvez, a recompensa final.

— Meus amigos... — disse Nilton, querendo a atenção de todos. Era o início do seu tradicional discurso no churrasco de boas-vindas em Morro do Ferro. — Este dia é muito importante na minha vida, na da minha esposa e na de meu filho e acredito que também seja na vida de todos vocês. Hoje celebramos a amizade de muitos anos, verdadeira e eterna. Estou muito feliz em vê-los.

— Seu pai fala bem — elogiou Carmem.

— É um chato que gosta de aparecer — retrucou Jonas, saindo com os amigos para o canto oposto do quintal.

— Minha mãe sempre fala muito bem do seu pai — protestou Carola.

— Lógico que fala. Você sabia que eles já foram namorados? — ele revelou, justificando a admiração de Sofia.

— Sério?

— Não acredito! — comentou Carmem, interessada na fofoca.

— Que engraçado! Vocês dois podiam ser irmãos — disparou Vicente.

Carola olhou para Jonas sem jeito e arriscou perguntar:

— E por que eles não ficaram juntos?

— É um mistério. Nem eu mesmo sei.

— Eu sei — gabou-se Alfredo.

— Por quê? — Carola e Jonas perguntaram ao mesmo tempo.

— É segredo. Meu pai me contou e disse pra eu não abrir a boca pra ninguém.

Jonas e Carola olharam para o amigo de São Carlos tentando, em vão, extorquir o segredo de seus pais.

— Proponho que nossos filhos façam uma atividade saudável nestas férias. Acampar, por exemplo. O que vocês acham? — Nilton sugeriu aos outros pais, esperando uma resposta imediata.

— Como? Eles vão ficar sozinhos no meio do mato? — preocupou-se Estela, a mãe de Carmem.

— Nosso filho é muito pequeno — Regina, mãe de Vicente, cochichou com o marido.

— Acho uma ótima ideia. Nossos filhos precisam aprender a se virar sozinhos. Isso será muito bom pra eles — concordou Antônio, querendo que Alfredo se divertisse.

— Eu também acho — disse Sofia. — Não é, Murilo?

— Não sei. Talvez não seja uma boa ideia — respondeu seu marido. Mesmo casado com Sofia havia anos, ele ainda tinha ciúme do ex-namorado de sua mulher.

— Nós poderemos acompanhá-los amanhã de manhã até o lugar do acampamento. Ajudaremos a carregar suprimentos, comida, cobertas e tal. E ensinaremos a eles como armar uma barraca de *camping*. Voltaremos pra cidade antes do entardecer — explicou Nilton.

— Eu aprovo. Alfredo está liberado.

— E os demais?

— Você não acha que pode ser perigoso? — questionou Otávio, pai de Carmem, pressionado pela mulher.

— Não. Além de se divertirem, eles aprenderão muito com a experiência.

— Acho que não tem problema — o marido cochichou no ouvido de Estela, que se virou na direção de Nilton e disse:

— A Carmem pode ir desde que levem para o acampamento uma caixa de medicamentos que eu trouxe de Goiânia. Quem será o responsável por eles quando a gente não estiver lá?

— Meu filho. Ele é o mais velho da turma e, por isso, acredito que esteja mais apto para assumir a tarefa — respondeu Nilton.

— Para mim está bom — assentiu Estela.

— E vocês? — perguntou Nilton, olhando na direção dos pais de Vicente e Carola.

— Como Jonas é seu filho, você se responsabiliza por qualquer problema que tiverem? — inquiriu Murilo, ecoando o ressentimento do passado.

— Claro! Confio muito no meu filho. E na filha de vocês também.

— Então a Carola pode ir — adiantou-se Sofia.
— E o Vicentinho? — insistiu Nilton.
— Sabe o que é, Niltinho? Ele é muito pequeno... — a mãe desculpava-se pela provável ausência do filho naquela excursão.
— Regina e Chiquinho, meus queridos amigos, em toda cultura, desde as mais primitivas até as mais modernas, existe um rito de passagem. O objetivo é fazer com que os aspirantes cresçam interiormente e se tornem aptos a realizar determinadas tarefas dentro da comunidade em que vivem. Ou seja, tornam-se mais responsáveis e contribuem para o bem-estar dos semelhantes. Hoje em dia isso é muito pouco valorizado. Nossa sociedade cultiva um individualismo excessivo, em vez de formar cidadãos com uma consciência mais sensível às necessidades coletivas...
— Ele devia ser político — Murilo sussurrou no ouvido de Sofia, que olhava admirada para o antigo namorado.
— Está bem — consentiu Regina. — Você nos convenceu.

— Será que nossos pais vão deixar a gente acampar? — Vicente perguntou aos amigos, no canto oposto do quintal.
— Sei não — comentou Carmem. — Minha mãe é muito preocupada.
— Tomara que eles deixem. Vai ser superlegal — torceu Jonas.
— Acho perigoso — arriscou Carola, relembrando a história da Mãe d'Ouro.
— Não é, não. Eu cuido de você — retrucou o mais velho da turma, encarando-a. Envergonhada, ela abaixou o olhar.

— Huuumm, tô sentindo um clima — atravessou Carmem.
— Vocês aí no canto, venham pra cá — intimou Nilton.
— O que seu pai quer? — indagou Alfredo.
— Nem sei. Acho que vai encher o nosso saco.
— Amanhã vocês partem para uma grande aventura. Nós iremos acompanhá-los até um morro na zona rural. Ajudaremos a levar tudo, montar as barracas e... O resto é com vocês. Depois de três dias, voltaremos para apanhá-los no mesmo lugar — explicou-lhes o pai de Jonas.
— *Yes!* — comemorou seu filho. Tinha meio caminho andado em seu plano para assustar os amigos e ficar com Carola.
— Legal! — participou Vicente, eufórico com a notícia. — Vou levar minha câmera digital e os *walkie-talkies*.
— Pelo menos isso meu pai liberou — resmungou Alfredo.
— Não acredito! — Carola deixou escapar. Ficaria mais perto de Jonas. Mas, por outro lado, tinha receio de encontrar algo de outro mundo na escuridão.

Carmem ficou quieta, atônita com a notícia. Não entendia como sua mãe autorizara sua participação naquela aventura no meio do mato.

— Jonas, como você é o mais velho, ficará responsável pelos seus amigos — anunciou Raquel.
— Pode deixar — respondeu o filho, tentando disfarçar o sorriso sarcástico.

Os pais estavam satisfeitos com o reencontro. Até mesmo Murilo, a seu modo, parecia feliz. Jonas, Alfredo, Carola, Carmem e Vicente também haviam lucrado com a confraternização dos adultos. A maior aventura da vida deles começaria no dia seguinte.

41

Não eram 9 horas quando Carola desejou boa-noite aos pais e à tia Cândida e se fechou no quarto. Pegou o diário no criado-mudo e deitou-se na cama, com caneta à mão:

> "Fazia quase um ano que eu não via o Jonas. Ele estava tão lindo. E quase me beijou. O Vicentinho tinha que chegar na hora? Mas não tem problema, a gente vai ter muito tempo nos próximos dias... No acampamento. Será que vai rolar? Será que a gente vai conseguir ficar sozinho? Não sei se fico feliz com essa ideia do pai do Jonas. E se a Mãe d'Ouro estiver por lá? Pior ainda: e se os demônios que se vingaram da morte do padre atacarem a gente?"

Carola sentiu calafrio. Fechou o diário. "Preciso dormir logo. Não quero encontrar o Jonas com olheiras", pensou, apagando a luz. Menos de vinte minutos depois, caía no sono. Não costumava ter pesadelos. E quase sempre se lembrava de seus sonhos na manhã seguinte. Naquela noite, a viagem prometia ser bem agradável. Começou com um passeio em direção à pracinha de Morro do Ferro. A poucos metros de lá, enxergou Jonas. Ele estava de costas, sentado em um banco diante da igreja. "Ele chegou adiantado", concluiu ao conferir o horário no celular. "Vou fazer uma surpresa." Aproximou-se na ponta dos pés. E cobriu seus olhos com as mãos. Naquela posição, conseguia sentir seu perfume amadeirado.

— Adivinha quem é? — perguntou-lhe.

— A garota mais gata de Morro do Ferro — era a voz de Jonas.

— Acertou — ela disse, descobrindo seus olhos.

Desejava ganhar um beijo. Era o momento certo. Não havia ninguém ali que pudesse atrapalhá-los. Quase ninguém.

— O que fazem aí? — alguém gritou do centro da praça.

— Quem é? — assustou-se Carola, caminhando em direção à voz.

Um homem de batina estava amarrado a uma figueira.

— Você... você é o padre?

— Em vez de ficar gaguejando, pode me ajudar a sair daqui? — ele perguntou, franzindo o cenho.

— Por que você está amarrado?

— Você já sabe — respondeu-lhe, apontando com a cabeça na direção da igreja. Uma mulher nua observava a cena, calada.

— Então, é verdade.

— Esse povo tem mania de achar que padre é santo, não pode beber cerveja, não pode jogar baralho. Não pode namorar — desabafou, dando uma gargalhada. — Ao menos você não tem esse problema, não é? Onde está seu namorado?

Carola virou-se em busca de Jonas. Ele desaparecera.

— Estava aqui, agora.

— Ele é um cagão! Acabou de fugir.

— Por que ele faria isso?

— Porque meus amigos estão chegando. E digamos que eles não têm uma aparência muito agradável.

Uma bola de fogo surgiu no céu. Carola queria correr, mas suas pernas não obedeciam. Os olhos pareciam grudados na luz avermelhada. Ouviu um grunhido e virou-se na direção do padre. Ele se transformara em um demônio, com chifres, casco de bode e um imenso rabo. Lembrou-se de ter visto algo parecido nas páginas de um livro na biblioteca do misterioso tio Alexandre, irmão de Sofia, sua mãe.

"Preciso fugir daqui", concluiu, ouvindo um zumbido. Deu um salto da cama. O celular vibrava sobre o criado-mudo. Havia uma mensagem de Jonas: *Não tenha medo. Protegerei você no acampamento. Beijos.*

— Espero que me proteja no acampamento, porque acabou de me deixar na mão — desabafou consigo, lembrando-se de todos os detalhes do pesadelo.

Assim que mandou a mensagem, Jonas apagou a luz e fechou os olhos. Acordaria bem mais cedo do que no dia anterior. Precisava estar disposto para liderar a turma. "A Carmem não vai desgrudar. Tenho que arrumar um jeito de ficar sozinho com a Carola", pensou. "Escolhido." A mesma sensação da noite passada. A mesma voz dentro de sua cabeça.

— Essa droga não vai me fazer perder o sono — disse para si, colocando o travesseiro sobre a cabeça.

"Você é o escolhido."

— Isso já está ficando repetitivo — resmungou, levantando-se e indo até a cozinha. Não se assustou ao encontrar o tio Bento segurando uma caneca de chá.

— É camomila?

— Sempre camomila. Você quer?

— Vou aceitar, tio. Não estou conseguindo dormir.

— Também recebeu a visita do "moço do disco voador"?

— Que jeito mais estranho de chamar os alienígenas! — comentou Jonas.

— Você não conhece a música do Raul Seixas?

— Não ouço isso, não. Não é da minha época.

— Também não lê os livros que não são da sua época? Por isso eu digo que essa juventude está perdida — retrucou Bento, servindo-lhe uma xícara de chá.

— O que ele disse pra você? — insistiu Jonas.

— Ele quem?

— O alienígena...

— Não é da sua conta. Quero dizer... Não se meta com eles.

— E se aparecerem no acampamento? — provocou seu sobrinho. — Vai me emprestar a espingarda.

— Se aparecessem pra você, você não ia conseguir nem apertar o gatilho. Ia se cagar todo.

— E se aparecerem? — indagou Jonas.

— Torça para não ter o mesmo destino do Rui.

— Não vai me contar o que te disseram?

— Jonas, gosto muito de você. Mas está começando a me irritar. Tomo cinco xícaras de chá de camomila pra esquecer isso e conseguir dormir e o que você faz? Fica apertando o mesmo botão. Seria melhor se me desse um bule de café — reclamou Bento, levantando-se. Antes de sair da cozinha, virou-se na direção do sobrinho, disse "boa-noite" e saiu cantarolando:

Porque longe das cercas embandeiradas
Que separam quintais
No cume calmo do meu olho que vê
Assenta a sombra sonora
Dum disco voador!

— Boa-noite, tio — despediu-se Jonas. "Ele está doidão. Deve ter colocado alguma coisa nesse chá. Raul Seixas? Era

45

só o que me faltava", completou em pensamento, voltando para o quarto.

Os *walkie-talkies* estavam com a bateria carregada. E funcionavam bem. Testara diversas vezes com a família. O teste final fora marcado para as 9 horas. Deixara um dos aparelhos com sua mãe. O outro, levara para o quarto. Apertara um botão e colara a orelha direita no fone.
— Regina falando. Câmbio! — era a voz de sua mãe.
— Vicentinho falando. Câmbio!
— Dentes escovados e pijama colocado? Câmbio!
— Sim. Tudo pronto. Câmbio!
— Então, é hora de desligar os *walkie-talkies* e dormir. Amanhã você precisa estar preparado para a aventura. Câmbio!
— Ordem recebida. Câmbio, desligo! — dissera Vicente, obedecendo à sua mãe. "Vai ser muito legal acampar com todo mundo", pensara, colocando o aparelho no criado-mudo. Conferira o relógio de pulso antes de apagar a luz: 21h15. Dormira pouco depois. Mal começara a sonhar, fora surpreendido pelo indigente que o pai quase atropelara. Rui se aproximava cambaleante, com o dedo indicador apontado em sua direção. Parou a menos de um metro e berrou:
— Fuja daqui!
— Não posso. Vou acampar com meus amigos.
— Vocês vão cruzar com os demônios!
— Meu pai me disse que eles não moram aqui. Estão no inferno.
— Morro do Ferro é o quintal daqueles malditos. Quando você menos esperar, vai estar cara a cara com um deles. Fuja enquanto é tempo.

— Não vou fazer isso. Amanhã, vou acampar com meus amigos — retrucou Vicente.

— Olha o que fizeram comigo — prosseguiu Rui, levantando a camisa esfarrapada e revelando centenas de feridas.

— O que... o que é isso?

— Eles espetam o nosso corpo.

"Terra maldita. Terra maldita", uma terceira voz dizia aquelas palavras. Vicente olhou em volta. Não havia mais ninguém.

— Olha o que fizeram comigo — insistiu Rui, tirando a tampa da cabeça. Seu cérebro apareceu, repleto de eletrodos.

"Fuja. Fuja dos...", continuava a voz estranha.

Vicente abriu os olhos. Podia jurar ter ouvido a palavra "demônios" transmitida pelo *walkie-talkie* sobre o criado-mudo.

— Nossa! Que pesadelo estranho! — disse para si, pegando o aparelho. Um calafrio atravessou sua espinha ao constatar que estava ligado.

Embora o acampamento no dia seguinte fosse uma promessa real de férias divertidas, seu subconsciente não se conformava com a viagem a Morro do Ferro. E o transportava de volta a São Carlos. Alfredo estava diante das salas de cinema, no *shopping*. Em um piscar de olhos, Victoria surgiu diante dele. Vestia calça *jeans*, camiseta branca e *All Star* preto. O cabelo estava preso atrás, em um rabo de cavalo. Sorriu ao vê-lo.

— Você está linda.

— Por que demorou tanto para me ligar?

— Porque... Não estou aqui.

— Como assim? Você está na minha frente.
— Meu pai me obrigou a viajar com ele para o fim do mundo.
— Você está brincando comigo?
— Estou dizendo a verdade. Não consegui ligar porque estou em Morro do Ferro.
— Então, consegue estar em dois lugares ao mesmo tempo?
— Queria estar em São Carlos. Mas amanhã vou acampar com meus amigos. Você podia estar comigo...
— Ela também podia estar com você, Alfredo — disse Victoria, com um sorriso triste no rosto. Ele sabia que ela se referia à sua mãe.
— Ela me abandonou — retrucou, sentindo um aperto no peito.
"Nunca te abandonei, filhinho", era a voz de Marta.
— Mamãe — murmurou Alfredo, abrindo os olhos. Estava sozinho no quarto de visita da casa dos avós maternos, em Morro do Ferro.
"Ela nunca mais vai voltar. Ela nunca mais vai voltar", repetiu mentalmente. Pegou o celular e conferiu o horário: 3h47. Foi à sala e ligou a televisão. Passeou pelos canais. Reconheceu a estranha criatura em um deles. Era o alienígena simpático do filme *E.T., o Extraterrestre*, do norte-americano Steven Spielberg. Segundo seu pai, era o filme favorito de sua mãe. Resolveu assisti-lo. Teve a sensação de que Marta estava ao seu lado, rindo nos momentos engraçados e chorando nos tristes. Sentiu um vazio no coração quando a nave espacial levou o "monstrinho" de volta para casa. Sua mãe parecia ter partido com ele. Quando os créditos subiam na tela, desligou a televisão. E parou diante de uma foto de Marta, aos doze anos, sobre a estante da sala.

— Será que algum dia... — interrompeu a frase e balançou a cabeça negativamente. Voltou ao quarto e caiu no sono.

Carmem estava inconformada com a decisão de sua mãe. Estela não deixava a filha sair com as colegas em Goiânia. Controlava os horários que ela chegava em casa. Cobrava explicação de todos os seus passos. E, de uma hora para a outra, concordava com o pai de Jonas e autorizava sua participação em uma aventura maluca. Ela nunca dormiu afastada de seus pais. E estava prestes a passar três dias no meio do mato. Morria de medo de cobras e ficava apavorada só de pensar em tropeçar em alguma pelo caminho. "No mato deve estar cheio delas", lamentara antes de dormir. Às vezes, acordava com o zumbido insistente de um pernilongo. "Droga! O acampamento vai estar infestado disso", resmungava. De repente, foi surpreendida em um sonho por uma serpente enorme rastejando em sua direção. Queria fugir, mas as pernas não obedeciam. Quando deu conta, o animal estava bem perto. E era maior do que ela. "O que é isso?", indagou-se, observando-o escancarar as mandíbulas.

— Me tire daqui! — alguém berrou de dentro do bicho.

— O que... Quem está aí? — gaguejou Carmem, sem reconhecer a voz.

— O Jonas.

— Como você foi parar aí dentro?

— Estava dormindo na barraca e acordei dentro da barriga dessa cobra.

— Carola, venha me ajudar! — berrou Carmem, na esperança de que a amiga estivesse por perto.

— Também estou aqui dentro.

— Alfredo! — tentou Carmem.

— Esse animal estúpido me pegou de surpresa. Estou preso aqui com eles — disse o amigo de São Carlos.

— Não é possível. O Vicentinho também está aí?

— A cobra não conseguiu me pegar. Estou aqui em cima.

Carmem inclinou o rosto e o enxergou agarrado nos galhos de uma árvore.

— Tire a gente daqui logo, antes que ela engula você também — insistiu Carola. No mesmo instante, a amiga de Goiânia viu as presas afiadas chegarem a poucos centímetros de sua cabeça. Pareciam duas facas de destrinchar peru. Podia sentir o hálito azedo em seu rosto. Em poucos segundos, poderia fazer companhia aos amigos no ventre da serpente. E duvidava que Vicente tivesse coragem para tirá-los de lá. "Não vou conseguir. Preciso sair daqui logo", deduziu, girando o corpo.

— Carmem, você precisa salvar a gente. É uma ordem. Eu sou o chefe! — berrou Jonas.

— Não quero morrer, Carmem. Você é minha melhor amiga — apelou Carola.

— Por favor — suplicou Alfredo.

— Vicentinho, me ajuda...

— Estou preso aqui em cima. Está nas suas mãos.

Sentiu uma das presas enroscar em seu cabelo. "Me desculpem", disse consigo, saindo em disparada. Poucos metros depois, tropeçou em um toco de madeira, estatelando-se no chão. Passos cada vez mais próximos. Levantou a cabeça. Jonas estava em pé diante dela, apontando-lhe o indicador e censurando-a:

— Você abandonou a gente!

— Mas você conseguiu sair. Cadê os outros?

— Para mim, foi tarde demais. O veneno daquela cobra contaminou o meu sangue — revelou o líder. Em um piscar de olhos, não era mais o amigo de São Paulo que estava ali. Era um garoto com pele, olhos e presas de serpente. Carmem não conseguiu segurar o grito. Acordou em seu quarto na casa da tia Delza. O corpo encharcado de suor. Respirou fundo e pegou o celular. Eram 7 horas. O despertador tocaria em quinze minutos.

FILMES COM ALIENÍGENAS

Lançado em 1982 e relançado em 2002, o filme *E.T. — O Extraterrestre*, de Steven Spielberg, manteve a marca de maior sucesso de bilheteria do cinema por onze anos. Na trama, um alienígena esquecido na Terra por seus conterrâneos torna-se amigo de Elliot. O garoto de dez anos tenta ajudá-lo a voltar para casa. Antes dele — e depois —, diversos diretores criaram histórias baseadas no contato entre extraterrestres e seres humanos. Na maioria, os "moços do disco voador" não são simpáticos, nem amigáveis como o personagem que emocionava Marta, a mãe de Alfredo. Se estiver em dúvida de que filme assistir, seguem algumas sugestões:

O dia em que a Terra parou (1951)
Contatos imediatos do terceiro grau (1977)
Alien, o oitavo passageiro (1979), e sequências (1986, 1992 e 1997)
E.T. — O Extraterrestre (1982)
Independence day (1996)
Marte ataca! (1996)
MIB 1, 2 e 3 (1997, 2002 e 2012)

Arquivo X — O filme (1998)
Sinais (2002)
Guerra dos mundos (2005)
O dia em que a Terra parou (2008)
Arquivo X — Eu quero acreditar (2008)
Contatos de 4º grau (2009)
Distrito 9 (2009)
Super 8 (2011)

DEMÔNIOS GRITAM NO ESCURO?

COMO COMBINADO NO CHURRASCO, TODOS SE ENcontraram na casa da Delza e do Jairo por volta das 8 horas da manhã. De lá, partiram de carro até a fazenda de Joaquim, pai de Murilo e avô de Carola. As mães ficariam ali enquanto os pais levariam os filhos até o Morro dos Anjos.

— Antes de partirem a gente vai rezar o terço pra vocês — anunciou Raquel em nome das outras mães. — Agora, os pais esperam na frente da casa. É a nossa vez.

Alfredo lembrou-se da noite passada. Ainda guardava a impressão da companhia de sua mãe durante o filme. No fundo, acreditava que Marta ainda cuidava dele. Sentia sua presença diversas vezes. Mas, naquele momento, ela parecia ausente.

— Tudo bem. Vamos obedecer. Mas o trabalho duro continua sendo nosso — brincou Nilton, antes de deixar a sala com os outros pais.

— O que é isso agora, mãe? — indagou Jonas, envergonhado.

— É isso mesmo — reforçou Regina, mãe de Vicente. — Vocês precisam ter muito cuidado nesse acampamento.

— Mário, o avô de Alfredo, emprestou uma barraca com três repartições: dois quartos e uma salinha. Carmem e Carola, como são meninas, ficam juntas em um dos quartos. Vicentinho dorme no outro. Como o quarto dos meninos é pequeno e só cabem duas pessoas, Alfredo e Jonas revezam: uma noite um dorme no quarto e o outro na sala, no dia seguinte trocam — explicou Raquel, olhando para eles.

— Por que só a gente vai revezar? E o Vicentinho? — indignou-se Alfredo, cochichando com o amigo de São Paulo.

— Ele é café com leite — retrucou Jonas.

— Entenderam? — insistiu Raquel.

— Claro! — respondeu seu filho.

— Não quero que nenhum menino fique bisbilhotando as garotas quando elas estiverem se trocando, entenderam bem? — prosseguiu a mãe, encarando os três rapazes da turma. Eles acenaram afirmativamente. Jonas tentou disfarçar um sorriso malicioso.

— Nem quando elas forem fazer as necessidades — incluiu Estela, mãe de Carmem.

— E onde a gente vai fazer isso? — perguntou sua filha.

— No mato — arriscou Vicente.

— Isso mesmo, filho — confirmou Regina. — Quando vocês voltarem, não quero receber nenhuma reclamação das meninas.

— Em uma das bolsas que estão com seus pais tem papel higiênico e a caixa de medicamentos — explicava Raquel. —

Nas outras cinco, vocês vão encontrar comida e bebida de sobra, contanto que não desperdicem.

— O que tem de bom pra comer? — questionou-lhe Vicente.

— Enlatados, bolachas, macarrão instantâneo, água e suco em pó. Como a água não é suficiente para os três dias, Murilo vai mostrar o caminho até uma nascente. Vocês também estão levando um pequeno fogão a gás pra preparar a comida.

— Isso é coisa das meninas — retrucou Jonas, sorrindo.

— Filho, você está enganado — rebateu sua mãe. — E, como é o mais velho, vai ajudar seus amigos no que eles precisarem.

— Vou ser o chefe — gabou-se.

— Você não é melhor por isso. Terá, sim, mais responsabilidades — esclareceu Sofia, a mãe de Carola.

— Alguma dúvida? — perguntou Raquel, olhando para todos eles.

— Quando a gente volta? — quis saber Carmem, ainda assustada com o pesadelo que tivera. Queria retornar logo a Morro do Ferro. Não desejava cruzar com nenhuma cobra monstruosa pelo caminho.

— Seus pais vão buscar vocês daqui a três dias. Qualquer problema sério, usem os celulares. Mas, não se preocupem, rezaremos para que tudo dê certo e vocês curtam a aventura. Isso é tudo — respondeu Raquel.

— Cuidado, meu filho — disse Regina, abraçando Vicente. — Nunca se afaste do acampamento, nem de seus amigos. Não saia de dentro da barraca à noite e deixe o zíper de seu quarto fechado. Coma direitinho e, se você se machucar, use a caixa de medicamentos.

— Pode deixar, mãe.

— Filha, afaste-se de qualquer aranha ou cobra, se vir alguma. Não se aproxime de nenhum animal selvagem, não fique no sol das 10 horas da manhã até as 4 horas da tarde. Beba muita água e se alimente direito, viu? — orientou Estela, beijando a filha.

— A gente se encontra daqui a três dias. Se eu sobreviver.

— Carola — sussurrou Sofia em seu ouvido —, não desgrude da Carmem em nenhum momento. Se o filho do Niltinho quiser ficar sozinho com você, diga que não.

— Tá bom — respondeu sua filha. "Ainda bem que você não estará lá", completou em pensamento.

— Jonas, cuidado com você e com seus amigos. Não faça nada de errado e muito juízo — instruiu sua mãe, abraçando-o.

— Pode deixar.

Alfredo estava sozinho no canto da sala, cabisbaixo. Sofia se aproximou dele e disse:

— Cuidado. Não faça nada de perigoso. Eu confio em você. Você é um cavalheiro, cuide das meninas.

Em seguida, abraçou-o como fazia sua mãe. Aperto no peito, nó na garganta. Uma lágrima escorreu em seu rosto. Apressou-se em apagá-la com as costas da mão direita. Não queria chorar na frente de seus amigos.

— Obrigado — ele respondeu, tentando disfarçar a voz embargada.

> **O QUE NÃO PODE FALTAR NO ACAMPAMENTO**
>
> Ao planejar um acampamento, nenhum detalhe deve ser esquecido. Imagine se a Regina não tivesse colocado o papel higiênico e o estojo de primeiros socorros em uma bolsa? Ou se a Estela deixasse em casa o repelente de insetos? Coitada da Carmem! Abaixo, uma lista básica aos interessados em partir para uma aventura como a dos amigos de Morro do Ferro:
>
> Barraca e saco de dormir
> Isolante térmico
> Cantil
> Fogareiro, álcool e fósforos
> Panelas, pratos, copos e talheres de plástico
> Papel toalha
> Canivete
> Lanterna e pilhas
> Toalha
> Papel higiênico
> Protetor solar
> Repelente
> Sacos de lixo
> Estojo de primeiros socorros
> Escova e pasta de dentes
> Sabonete e lenços umedecidos

No caminho até o Morro dos Anjos, Murilo seguia na frente com Antônio. Nilton estava alguns passos atrás, acompanhado por Otávio. Um pouco menos disposto, Francisco, o mais gordo entre eles, parecia se arrastar, carregando uma bolsa. "Foi a Regina quem deixou o Vicentinho participar desse programa de índio. Ela devia estar aqui, andando nesse sol de rachar e carregando essa tralha", reclamava em pensamento, ao lado do filho, Vicente. Atrás deles, Carmem e Carola cochichavam:

— Você acha que o Jonas vai tentar ficar comigo?

— Você tem dúvida disso?

— Preferia que rolasse na cidade. Acho estranho dormir no quarto do lado. Quando acordar, vou dar de cara com ele, sem nem ter escovado os dentes — comentou Carola.

— Minha mãe nunca me deixa fazer nada em Goiânia e me manda nessa roubada — desabafou Carmem.

— Você não acha que pode ser divertido?

— Dormir no meio do mato, com insetos picando você o tempo inteiro, com cobras...? Tive um pesadelo estranho a noite passada — revelou.

— O que aconteceu?

— Uma cobra engoliu você, o Jonas e o Alfredo. E eu precisava tirar vocês de dentro dela.

— Credo, Carmem! Que pesadelo horrível! Se fosse perigoso, acha que nossos pais levariam a gente até lá?

— Eles não devem saber dos perigos do lugar.

— Também tive um pesadelo — disparou Carola.

— Como foi?

— Foi na praça de Morro do Ferro. Lá parecia bem mais assustador do que isso aqui — respondeu, levantando a mão direita.

A menos de cinco metros, Jonas e Alfredo observavam as duas caminharem. E também cochichavam:

— A Carola está uma gata. Preciso dar um jeito de ficar sozinho com ela. Mas a Carmem não desgruda. Você bem que podia me ajudar...

— O que você quer que eu faça? — indagou Alfredo, olhando para ele de esguelha.

— A Carmem não tem namorado. Vocês podiam...

— Você está maluco!

— Fale mais baixo, Alfredo. Elas podem escutar. Ela não é de jogar fora.

— Não tem nada a ver comigo. Além disso, estou apaixonado por outra garota — justificou Alfredo, pensando em Victoria.

— Mas você pode ficar com a Carmem em segredo — insistiu o amigo de São Paulo.

— Acho melhor você parar com isso! — irritou-se. — Se quiser pegar a Carola, arrume outro jeito de despistar a Carmem. Não me use pra isso. Está me entendendo?

— Não precisa ficar nervoso — esquivou-se Jonas. "Já vi que esse babaca não vai me ajudar em nada", concluiu.

A excursão conduzida por Murilo chegou ao pé do Morro dos Anjos depois de quase duas horas de caminhada. O trajeto até lá passou por pastagens e cercas de arame farpado dividindo fazendas. O sol era escaldante e os pais, com bagagens às costas, estavam exaustos.

— Até que enfim! — exclamou Francisco, aliviado.

— Ainda não chegamos — informou Murilo. — Teremos que percorrer a trilha até o topo.

— Quanto tempo mais? — ele quis saber.

— Não é alto. Mas a trilha é estreita e a vegetação muito densa. Carregados desse jeito, devemos demorar de quarenta minutos a uma hora.

— Eu estou cansada — reclamou Carola.

— Você e seus amigos vão poder descansar quando chegarem lá em cima. E nós, que só vamos descansar no fim da tarde? — retrucou Murilo.

— Uma hora até subir, mais uns cinquenta minutos para descer, mais duas horas até a fazenda. A gente só vai poder sentar e respirar daqui a quatro horas — calculou Francisco, visivelmente desanimado.

— Quanto mais reclamarem, mais pesado fica o fardo — advertiu Nilton. — Vamos seguir em frente.

— Que atrás não vem ninguém — brincou Antônio.

— Eu já tô toda picada — observou Carmem.

— Espere só pra ver durante a noite — disse Jonas, rindo.

— Vai ficar inteira pipocada — completou Alfredo, caindo na gargalhada.

— Não achei graça nenhuma — rebateu Carmem, cruzando os braços.

— Pai, minhas pernas doem — reclamou Vicente.

— O que você quer que eu faça? Minhas pernas também doem, minhas costas doem, meus braços doem.

— Meus amigos, vamos enfrentar logo o Morro dos Anjos. Deve se chamar assim porque é abençoado. Não é, Murilo? — indagou Nilton, querendo animá-los.

— O melhor amigo do meu pai tem uma fazenda aqui perto. Ele deu esse nome porque à noite, dizia, várias luzes vinham do céu e brincavam no topo do monte. Para ele, eram anjos — explicou Murilo, iniciando a subida.

— Viram que interessante, meninos? — comentou o pai de Jonas. — Vocês brincarão com os anjos.

— Pai, por que você não me contou essa história? — cobrou Carola.

— Me esqueci.

— Isso tem alguma coisa a ver com a Mãe d'Ouro? — perguntou sua filha, assustada.

— Essa é uma outra história...

Jonas, Alfredo, Carmem e Vicente quiseram saber mais sobre a Mãe d'Ouro. Ao chegaram ao topo, já haviam escutado dos pais inúmeros casos de luzes misteriosas que apareciam durante a noite, perseguiam os carros por estradas rurais, quase desertas, e sobrevoavam as fazendas assustando o gado e maravilhando a gente simples do campo. Jonas pensara inúmeras vezes no tio Bento e indagara-se: "O que será que disseram para ele?".

— Não quero mais ficar aqui — informou Carmem, observando Murilo, Nilton e Antônio armarem a barraca.

— Por quê?

— Você ainda pergunta, pai?

— Deixe de bobagem, filha.

Carola e Jonas se entreolhavam e pareciam conversar por telepatia.

"Não se preocupe, Carola, eu cuidarei de você. Não deixarei nada nem ninguém te fazer mal."

"Eu fico feliz por estar aqui com você, Jonas."

— Pai, tire uma foto da gente — pediu Vicente, entregando-lhe a câmera digital.

— Todos juntos e sorrindo — orientou Francisco. Da esquerda para a direita: Jonas, Carola, Carmem, Alfredo e Vicente.

Otávio explicou às meninas como acender a lamparina e o pequeno fogão a gás. Murilo ensinou aos meninos o caminho até a nascente d'água. Pouco menos de uma hora depois da chegada, os pais se despediam e voltavam para a fazenda.

— Meu celular está sem nenhum sinal — surpreendeu-se Jonas ao tirar o aparelho da mochila.

— O meu também não funciona. Acho que eles não pegam aqui em cima — concluiu Alfredo.

— Meu Deus, quero ir embora daqui! E se acontecer alguma coisa de errado? Como a gente vai pedir socorro? — desesperou-se Carmem.

— Concordo com você — disse Carola.

— Sem estresse. Estamos fora de perigo. Vocês esqueceram que estamos protegidos pelos anjos do morro? — rebateu Jonas, com um sorriso sarcástico estampado no rosto.

— Vamos desencanar dos celulares e preparar a lenha para a fogueira.

— Como? — perguntou Alfredo.

— Você e o Vicentinho tragam toda a madeira seca que encontrarem. Galhos de árvore, gravetos...

— E você? — interrompeu o mais novo da turma.

— Vou fazer a fogueira, Vicentinho.

— Folgado — murmurou Alfredo.

— Além disso, vou pegar mais água. Carola, você vem comigo? — perguntou, encarando-a. "É minha chance de ficar com ela."

— Vou.

— E eu faço o quê? — indagou Carmem.

— Pode preparar o jantar.

— Como?

— É fácil. Você já aprendeu a acender o fogãozinho. Use cinco pacotes de macarrão instantâneo e água. Vou acender uma lamparina pra você e levar uma das lanternas. Alfredo, leve a outra com vocês.

— Tá bom.

— Carmem, vou deixar um *walkie-talkie* com você e levar o outro com a gente — disse Vicentinho.

— Não sei pra quê — ela murmurou, desinteressada no uso do aparelho. — Nem deve funcionar aqui em cima.

— Agora não tem ninguém pra atrapalhar a gente — observou Jonas, caminhando ao lado de Carola.
— Estou um pouco assustada com essas histórias todas...
— Eu te protejo — interrompeu-a, parando diante dela, segurando em seu braço esquerdo e encarando seus olhos esverdeados. Naquele momento, os sonhos que tivera nos últimos meses eram reais, podia tocá-los. Os corações batiam acelerados e pareciam tocar a mesma música. Ela fechou os olhos. Jonas aproximou-se e a beijou com suavidade. Carola continuava com os olhos fechados e os lábios entreabertos. Ele aproveitou para beijá-la de novo. Aqueles sete segundos seriam inesquecíveis. Eles se abraçaram e caminharam sem dizer nada até a nascente d'água. Lá, Jonas quebrou o silêncio:
— Carola...
— O quê?
— Quer me namorar?
— É sério?! — surpreendeu-se, vendo Jonas se abaixar até a fonte e encher de água um garrafão plástico.
— É... eu sei que hoje em dia esse negócio de namorar está fora de moda... Mas, quando as férias acabarem e eu voltar pra São Paulo, quero ter certeza de que você não vai arrumar ninguém em Ribeirão.
— Nunca achei legal esse papo de ficar. Tenho uma amiga chamada Lúcia que cada vez fica com um cara diferente na balada. Ela diz que já beijou mais de vinte.
— Essa sua amiga é uma vagabunda — revoltou-se Jonas.
— Não quero você saindo com ela.

63

— Não costumo frequentar as mesmas baladas que a Lúcia. E ainda não respondi à sua pergunta.
— Então? — ele cobrou uma resposta, levantando-se e encarando-a.
— Preciso pensar.
— Por que não responde agora? Não quer perder tempo me namorando? Prefere disputar com as amigas quem beija mais caras? — irritou-se, aumentando a voz.
— Vamos voltar, está ficando escuro, estou com fome — disparou Carola, virando-se de costas para ele e cruzando os braços.
— Me desculpa?
— Está bem. Mas vamos voltar.
— E a resposta? — ele insistiu.
— No último dia do acampamento, dou minha resposta.
— Promete?
— Prometo.
Jonas olhou para o relógio de pulso. Marcava 19h32. Estava frio. Ele seguiu na frente, iluminando o caminho com a mão direita e carregando a água na outra. Foram surpreendidos por um estranho e intenso grunhido a poucos metros dali. Jonas sentiu calafrio e Carola gritou, agarrando-se a ele.
— Vamos ficar quietos. O barulho pode atrair o animal — disse Jonas, agachando-se com Carola e abaixando a lanterna para diminuir o foco de luz.
— Animal? Esse barulho não é de animal. Parece um de... Um demônio.
— Não diga isso senão você atrai coisa ruim.
— Jonas, tive um pesadelo. Estou com muito medo — confidenciou Carola, recordando-se do padre que a perseguira no sonho. Ela chorava em silêncio e ele transpirava de pavor.

Alfredo e Vicente haviam voltado diversas vezes ao acampamento carregando lenha. Estavam famintos e esperavam os dois voltarem da nascente para poder jantar. O macarrão instantâneo estava pronto, mas já esfriara.

— Só porque é o mais velho o Jonas vai querer ficar mandando na gente? — disse Alfredo.

— É verdade — concordou Carmem.

— Ele é o líder. Nossos pais decidiram isso. O que a gente pode fazer? — indagou Vicente.

— Não fazer as coisas que ele pede, fazer votação pra ver quem faz o quê... — sugeriu o amigo de São Carlos.

— Também acho — concordou a garota do grupo.

— Somos três aqui — prosseguiu Alfredo. — É só votar contra o Jonas porque tenho certeza de que a Carola vota a favor. Três contra dois e a gente vence.

— Socooooooorro!

— É a voz da Carola — observou Vicente.

— O que será que aconteceu? — preocupou-se Carmem.

— Ela deve ter sido atacada pelo Jonas — brincou Alfredo, vendo os dois surgirem detrás de uma árvore. Pareciam assustados e estavam com as roupas sujas de terra.

— Vamos acender a fogueira. Os animais não se aproximam da fumaça — orientou Jonas.

— Isso é com você. O Vicentinho e eu apanhamos lenha — disparou Alfredo.

— O que aconteceu com vocês? — indagou Carmem, lembrando-se do monstro de seu sonho.

— A gente vinha pra cá e ouviu um grito no meio do mato. Parecia um demô... desculpa, Jonas.

65

— Um demônio? — completou Vicente, arregalando os olhos.

— Isso mesmo — respondeu o amigo de São Paulo, com uma expressão séria no rosto.

Tudo estava saindo de acordo com seu plano para amedrontar os amigos. Até aquele grunhido parecia planejado. Mas não era...

— Quem me ajuda a preparar a fogueira? — perguntou, olhando na direção de Alfredo e Vicente.

— Eu posso... — dizia Carola.

— Isso é trabalho para homens — interrompeu-a, encarando Alfredo.

— Enquanto a gente carregava lenha, você passeava por aí — protestou o amigo de São Carlos.

— Eu não preciso de você, imbecil! — gritou Jonas, avançando em sua direção.

— Pode vir. Não tenho medo de você, idiota — enfrentou-o Alfredo, levantando as duas mãos em punho. Poderia desferir um murro no líder, caso ele se aproximasse mais um pouco.

— Parem com isso! — berrou Carola. — A gente tá correndo perigo e vocês dois ficam discutindo por besteira? Daqui a pouco a Carmem e eu acendemos a fogueira sozinhas.

— Não preciso de ninguém pra isso — desdenhou Jonas, encarando Alfredo antes de apanhar alguns gravetos.

— Babaca convencido — murmurou Alfredo.

— Estou com fome — reclamou Vicente.

Todos resolveram comer biscoitos e tomar suco em vez do macarrão de Carmem, grudado na panela. Depois sentaram em volta da fogueira, na frente da barraca. O clima de inimizade continuava. Jonas propôs extraterrestres como tema da conversa. Os demais se entreolharam, ressabiados.

VIAJANTES DO ESPAÇO

Enquanto sobrevoava as montanhas Cascade, no estado de Washington, em 24 de junho de 1947, o piloto norte-americano Kenneth Arnold foi surpreendido por nove objetos voadores não identificados (óvnis), ou, em inglês, *Unidentified Flying Objects* (UFOs). Segundo ele, as estranhas aeronaves, prateadas e brilhantes, tinham formato de lua crescente e se movimentavam em altíssima velocidade. Em vez de voarem em linha reta, "saltitavam" como um disco arremessado na superfície da água. Foi a origem do termo "disco voador". Em pouco tempo, a história sobre as misteriosas naves e seus possíveis tripulantes atravessou o mundo e deu origem à Ufologia, estudo dos UFOs. Mas será que os viajantes do espaço só chegaram aqui em 1947?

CONVERSAS TENEBROSAS EM VOLTA DA FOGUEIRA

EM MORRO DO FERRO. BENTO PEGOU UM DISCO DE vinil do Raul Seixas e colocou na vitrola da sala. A mulher gritou da cozinha:

— Minha novela vai começar daqui a pouco!

— Dá tempo de ouvir pelo menos uma música — retrucou Bento, colocando a agulha na última canção do lado B.

Pegou um copo pequeno, encheu de cachaça e sentou-se em uma cadeira de balanço. Tomou a bebida em um só gole e acendeu um cigarro de palha. Deu um trago ao som da música "Novo aeon":

> O sol da noite agora está nascendo
> Alguma coisa está acontecendo
> Não dá no rádio nem está
> Nas bancas de jornais
> Em cada dia ou em qualquer lugar

Um larga a fábrica, outro sai do lar
E até as mulheres ditas escravas
Já não querem servir mais
Ao som da flauta da mãe serpente...

A agulha enroscou e a última frase começou a se repetir. Maria irrompeu na sala fazendo o sinal da cruz.

— Credo, Bento! Fazia tempo que você não ouvia mais isso. Desde que... — ela não terminou a frase.

— Pois é, não ouvia mais Raul Seixas fazia anos — disse o marido, tragando o cigarro de palha.

— Vai me dizer o que está acontecendo? — ela cobrou, encarando-o.

— Nada de mais.

— Você anda estranho desde que voltou da fazenda do seu Chico — prosseguiu Maria, avançando sobre a vitrola e calando a voz de Raul.

— Por que está me perguntando isso?

— Por quê? Você acorda todas as madrugadas e já acabou com meu estoque de camomila. E, agora, ressuscitou esse disco velho.

— Velho é o disco, mas a música é mais atual do que nunca.

— Como assim?

— Esse homem, Maria, era um profeta. Estou desconfiado de que escondia alguns segredos nas músicas.

— Você está ficando doido, Bento. Acho que precisa ter uma conversa com a Estela, que é psicóloga. Que segredos ele podia esconder nas músicas?

— Segredos do que vai acontecer. Nessa música que estava tocando, ele fala de uma nova era. Ele também fala sobre discos voadores. Acho que sabia mais do que a gente — explicou Bento, dando mais um trago no cigarro de palha.

— Vai ficar aí, filosofando, ou vai me dizer o que aconteceu?

— Fui perseguido pelo "moço do disco voador". E alguém falou comigo aqui dentro — ele revelou, batendo com o indicador na própria cabeça.

— O que disseram?

— Não quero falar sobre isso. Mas vou tentar descobrir o que significa. Talvez Raul Seixas me diga.

— Isso não deve ser coisa boa — disparou Maria. — Você já pensou em falar com o padre?

— Não confio em padres! E você sabe o motivo.

Em pé diante da fogueira, Jonas levantou o braço e começou a relatar, com uma entonação macabra:

— Quando cheguei de viagem ouvi uma conversa do meu pai com a minha mãe. Ele disse que os extraterrestres invadem as fazendas de Morro do Ferro e matam o gado pra se alimentarem. Comem algumas partes e largam o resto apodrecendo nas pastagens.

— Que horror! — assustou-se Carmem.

— Vocês conhecem a história do padre? — perguntou Carola.

— Eu conheço — respondeu Vicente, encolhido de medo ao lado de Alfredo.

— Eu não — disse o amigo de São Carlos.

— Eu também não. Conta, Carola — incentivou Jonas.

— Há muitos anos, o povo de Morro do Ferro matou o padre na pracinha.

71

— Por quê? — adiantou-se Carmem.

— O sacristão pegou ele transando com uma mulher no altar da igreja. Ele foi amarrado em uma figueira e amaldiçoou a cidade pra sempre. Alguns dias depois, alguém viu uma bola de fogo aparecer no céu e lançar um raio que secou a figueira na hora. Meu pai disse que os demônios vieram vingar a morte do padre e estão por aqui até hoje.

— Vamos conversar sobre outra coisa — suplicou Carmem, aflita.

— Você está com medo? — caçoou Jonas. — Agora que está ficando divertido! Quem for medroso pode ir pra dentro da barraca, dormir com os anjos.

— Quando a gente chegou de viagem — começou Vicente —, um mendigo caiu na frente do carro, mas meu pai conseguiu brecar a tempo. Ele disse pra gente tomar cuidado e fugir daqui porque a cidade é amaldiçoada e os demônios perseguem as pessoas e furam seus corpos. Minha mãe disse que ele não bate bem da cabeça de tanto que bebeu.

— Você deve estar falando do Rui — disse Jonas. — Parece que ficou assim depois de ter sido sequestrado por ETs e levado para uma base subterrânea, nas redondezas de Morro do Ferro. Lá, fizeram várias experiências com ele: espetaram agulhas pelo corpo inteiro do coitado, enfiaram um tubo goela abaixo, cortaram pedaços da pele. Tudo isso sem anestesia.

— Como ele sobreviveu? — indagou Vicente, arregalando os olhos.

— Talvez por milagre — arriscou Carola.

— Se eles existem mesmo, por que não aparecem em cidades grandes? Nunca vi nenhum disco voador em São Carlos. E aposto que vocês também não — desafiou Alfredo.

— Você acha que eles querem chamar a atenção das pessoas? Preferem viver escondidos. Por isso, escolhem lugares como Morro do Ferro — justificou Jonas.

— Também acho isso — concordou Carola.

— Eles podem estar aqui, bem perto, observando a gente conversar, longe de casa e sem poder se defender. Devem estar esperando o momento certo — sugeriu Jonas, em pé, observando os amigos sentados ao redor da fogueira.

Todos se entreolharam, assustados. Não queriam se voltar para a escuridão temendo encontrar demônios disfarçados de alienígenas, ou vice-versa.

— O que eram as luzes que brincavam em cima deste morro? Anjos ou ETs? E quem são os demônios que vieram vingar a morte do padre? — prosseguiu o líder, assustando ainda mais os amigos.

— E a Mãe d'Ouro? — indagou Carola, fazendo, sem saber, o jogo de Jonas.

— São eles — disparou Vicente, com a voz trêmula.

Uma luz amarelada iluminou o topo do Morro dos Anjos fazendo os cinco olharem apavorados para cima à procura de um disco voador.

Assim que voltaram para a fazenda de Joaquim, os homens foram recebidos com um farto jantar preparado por suas mulheres. Estavam famintos. E exaustos. Mal se sentaram na mesa de madeira, Francisco avançou sobre a travessa com pedaços de frango. Antes de completar o prato com arroz, tutu de feijão, ovo frito e couve refogada, começou a devorar uma coxa.

— Você não vai esperar os outros se servirem? — indagou Regina.

— Os primeiros a jantar serão os últimos a receber a sobremesa — brincou Nilton, servindo-se de arroz.

— Estou bem cansado — comentou Antônio. — Mas a fome vence o sono.

— Eles ficaram bem instalados, Otávio? — indagou Estela, preocupada com Carmem.

— Acho que não jantaram tão bem como a gente — respondeu seu marido, guarnecendo o prato de dois ovos fritos.

— Pode ficar tranquila — informou Murilo. — Fizemos o trabalho pesado.

— Agora que você já sabe que está tudo bem, Estela, precisa relaxar um pouco — aconselhou Raquel.

— A Carmem nunca dormiu longe de mim — justificou sua mãe.

— A gente cria os filhos para o mundo, Estela. Chega um dia, eles criam asas e voam pra fora do nosso ninho. É preciso estar preparada — comentou Sofia.

— Meu Murilinho voou faz muito tempo... — recordou Fátima, sua mãe. Os olhos pareciam vasculhar o passado.

— Acho que nunca vou conseguir me preparar pra isso — participou Regina, pensando em Vicente e na caçula, Nina.

— A vida é um negócio esquisito — disse Joaquim, pai de Murilo, sentado na cabeceira e calado até aquele momento.

— Ela gosta de pegar a gente no contrapé. Se a gente balança pra um lado, ela joga a gente pro outro. Em um dia a gente dá gargalhada, no seguinte cai em uma tristeza profunda. A vida é um negócio esquisito.

— Que bicho te mordeu, pai?

— O Paulo infartou ontem. Morreu antes de chegar ao hospital.

— Seu melhor amigo... Sinto muito, pai.

— Ele deve estar em um bom lugar — comentou Antônio, pensando na mulher.

"Aposto que nenhum de nós gostaria de estar a sete palmos embaixo da terra", pensou Murilo. O pai de Carola não acreditava em vida após a morte e gostava de provocar quem estivesse do lado oposto. Mas não era um bom momento para isso. Todos ficaram em silêncio. Era possível ouvir a sinfonia dos comensais mastigando e engolindo. Alheio à conversa desde o início, Francisco devorava o segundo prato. Já satisfeito, Otávio olhou para o anfitrião e disse:

— A vida nesta terra é um caminho curto. No fim, alguém estará esperando por nós. E vai nos conduzir.

— Ele vivia dizendo que conversava com os anjos no alto daquele morro em que vocês deixaram as crianças — prosseguiu Joaquim.

— Que lindo... — disse Sofia.

— O que ele conversava com os anjos, pai? — alfinetou Murilo.

— Isso era segredo. Ele não contava pra ninguém. Só sei que construiu uma capelinha por aquelas bandas. E nunca levou ninguém até lá. Nem a mulher.

— Vocês não viram nada? — quis saber Raquel.

— Não tinha nada lá, além de terra, mato, árvores e insetos — respondeu Francisco, limpando os lábios engordurados com guardanapo de papel.

— Espero que só tenha isso mesmo. Não quero nem imaginar a Carmem passando perto de uma cobra venenosa — disse Estela.

— Não se preocupe com isso. Todos sairão de lá mais bem preparados para enfrentar os desafios da vida — discursou Nilton.

— A vida é um negócio esquisito. Ela gosta de pegar a gente no contrapé — murmurou Joaquim.

Agachado ao lado de Alfredo, Vicente berrou:
— O que foi isso?
— Nada demais. Talvez uma estrela cadente — rebateu Carmem. — Vou entrar. A fogueira já está quase em brasas e eu estou com frio. Você vem comigo? — perguntou para Carola.
— Vou sim. Também estou com frio e muito cansada. Boa-noite, meninos.
— Boa-noite — respondeu Alfredo.
— Boa-noite — repetiu Jonas, desolado.
— Quem vai dormir comigo no quarto? — indagou Vicente.
— O Alfredo — respondeu o amigo de São Paulo, querendo parecer amigável. Ouvira dizer que ronco era hereditário e que Francisco, seu pai, quando dormia, parecia uma locomotiva. Por isso, preferia dormir sozinho na sala.
— Por mim, está bem — consentiu Alfredo.
— Estou indo colocar o pijama. Até daqui a pouco.
— Já estou indo também — disse o amigo de São Carlos, querendo evitar a companhia de Jonas. Ainda estava aborrecido. "Ele acha que é melhor só porque é um ano mais velho, mora na capital e namora a Carola", pensava indignado.
— Fica mais um pouco. Preciso conversar com você — pediu Jonas.

— O que é?
— Fiquei com a Carola na nascente d'água. Eu a pedi em namoro.
— Pensei que vocês já estivessem namorando.
— Ela vai me dar uma resposta no último dia do acampamento. O que você acha?
— Vocês moram longe e só se encontram nas férias de julho. Namoro à distância não costuma dar certo — respondeu Alfredo, pensando em Victoria.
— Não perguntei isso. Perguntei se você acha... Esquece. Aquele lance de você saber por que meu pai e a mãe da Carola não ficaram juntos é verdade?
— Não adianta insistir porque eu prometi ao meu pai...
— Pode me contar. Juro que nunca vou abrir a boca pra ninguém — interrompeu Jonas, encarando o amigo.
— Quem sabe eu te conte no último dia do acampamento...
"Babaca", pensou Jonas, encarando o amigo com raiva antes de retrucar:
— Tudo bem. Vá logo, o Vicentinho deve estar morrendo de medo sozinho.
— Vou nessa. Até amanhã.
— Falou — resmungou Jonas. Afastou-se um pouco da barraca e olhou para o céu. "O que será que disseram para o tio Bento? Será que aquela luz...", questionava-se até sentir um calafrio. Virou-se para o lado esquerdo. Olhos pareciam observá-lo da escuridão.

Enquanto a amiga colocava a camisola, Carola sussurrou:
— Ele me beijou.

— Eu sabia que isso ia acontecer — comentou Carmem.
— Agora, conte a novidade.
— Me pediu em namoro.
— Sério?
— Sério.
— O que você respondeu?
— Disse que precisava de um tempo. Prometi uma resposta no último dia do acampamento. O que eu faço?
— Não sei, Carola. Nunca passei por isso.
— Se você estivesse no meu lugar...
— Nunca teria ficado com o Jonas.
— Por que não? — indignou-se a amiga de Ribeirão Preto.
— Ele é tão lindo...
— Estou tão cansada — esquivou-se Carmem, fechando-se no saco de dormir.

Carola vestiu a camisola e pegou o diário. Com a lanterna apoiada no travesseiro improvisado, esforçava-se para conseguir resumir o que acontecera durante o dia. Os olhos começaram a arder. "Acho que também preciso dormir", concluiu. Ao seu lado, Carmem tentava esquecer as histórias assustadoras de Jonas. De repente, lembrou-se do pesadelo da noite anterior. Ficou arrepiada.

— Você acha que tem cobra aqui em cima? — perguntou, abrindo os olhos.

— Pensei que você já estivesse dormindo — disse Carola, deixando o diário de lado.

— Estou tão cansada... Mas estou com medo. Se pudesse, voltaria pra casa agora.

— Medo de quê?

— Das cobras que devem estar por aí.

— Estamos protegidas aqui dentro — respondeu, lembrando-se do grito que ouvira.
— Protegidas por uma parede de lona? E se acontecer alguma coisa, quem vai salvar a gente?
— O Jonas — arriscou Carola.
— Ele passou quase uma hora tentando assustar a gente, mas acho que é o primeiro a sair correndo se acontecer alguma coisa. Ainda não entendo por que minha mãe me deixou vir pra esse lugar — reclamou Carmem.
— Agora não tem mais o que fazer. Nossos pais só vão voltar daqui a três dias.
— Então, vou rezar pra que o tempo voe. Boa-noite.
— Boa-noite.

No quarto ao lado, Alfredo e Vicente estavam acomodados nos sacos de dormir. Apesar do cansaço, o mais novo da turma resolveu puxar assunto:

— Será que o Jonas ainda está lá fora?
— Deve estar preparando alguma coisa pra assustar a gente.
— Você acha que ele inventou tudo aquilo?
— A maior parte — respondeu Alfredo.
— Você não acredita em alienígenas?
— Se existirem, tomara que sejam como os do filme que vi ontem.
— Qual filme?
— *ET*.
— Esse eu não vi. Mas vi *Guerra dos Mundos* antes de vir pra Morro do Ferro. Se os alienígenas forem como os desse filme, estamos perdidos — comentou Vicente.
— Acho que tudo não passa de fantasia.
— E aquela luz? Podia ser uma nave espacial...
— Bobagem.

— E o Rui? Ele disse que os demônios estão por aqui — insistiu Vicente.

— Deve ser a pinga. Lá em São Carlos, um bêbado vive dizendo que tiraram o cérebro de sua cabeça e colocaram uma calculadora no lugar. Mas, sempre que alguém pede pra ele fazer uma conta, o resultado é sempre o mesmo: zero.

— Então colocaram uma calculadora com defeito.

— Acho que ele sempre conta o número de neurônios que sobraram depois de beber tanto — disse Alfredo, dando uma gargalhada.

No quarto ao lado, alguém fez "psiu".

— Acho que elas estão tentando dormir — cochichou Vicente.

— Também vou dormir. Estou tão cansado. Boa-noite.

— Boa-noite.

Jonas entrou e fechou o zíper da barraca. Vestiu uma camiseta velha com um dragão estampado e uma bermuda bege. Aproximou o ouvido da divisão do quarto das meninas. Silêncio. Frustrado, entrou no saco de dormir. O outro quarto também estava silencioso. Aparentemente, apenas ele permanecia acordado. Se estivesse em São Paulo, ficaria mais algumas horas jogando no computador. Conferiu o relógio de pulso: 22h10.

— Está cedo — resmungou, fechando os olhos, contrariado.

Eram quase 11 horas quando Nilton e Raquel chegaram a Morro do Ferro. Estacionaram e abriram a porta da casa tentando não fazer barulho. Não queriam incomodar os anfitriões. Uma canção preenchia, sorrateira, a sala. Nilton sentiu um aperto no peito. Sentado no sofá, Bento tinha uma xícara de chá em uma das mãos. A outra segurava um encarte de vinil.

— Boa-noite — saudou-lhe o irmão. — Pensei que você estivesse dormindo.

— Era o que eu gostaria de estar fazendo, Niltinho. Como foi a viagem?

— Ótima. E cansativa. Estou exausto.

— Viu alguma coisa?

— O que, Bento?

— Sei lá, algo diferente... — insinuou o irmão.

— Como assim?

— Uma luz no céu...

— Milhares delas. Chamam-se estrelas.

— Não deve ter visto... — murmurou Bento, tomando um gole de chá.

— O que você está tomando?

— Camomila. Quer?

— Estou exausto. Se eu tomar esse chá, acordo amanhã à tarde. Por que está ouvindo isso?

— Fiquei com saudade. — Era um dos discos preferidos dele.

— Nunca mais ouvi Raul Seixas. Boa-noite.

— Boa-noite — disse Bento, ao som de "Ouro de tolo". "Ele nem imagina", completou em pensamento.

INJEÇÃO NA COXA DÓI?

— QUE DROGA! TODO MUNDO DORME E EU FICO acordado.

Jonas acendeu a lanterna. Sentado, começou a prestar atenção nos ruídos do lado de fora da barraca: insetos solitários fazendo da noite uma confidente para os lamentos, pequenos animais em fuga amaldiçoando os predadores noturnos que perturbavam seu sono, folhas secas arrastadas pelo vento que aproveitava os galhos das árvores para tocar uma canção sinistra.

"E se os extraterrestres existirem e estiverem por perto?"

Fechou os olhos. Deveria tentar dormir logo, acordaria cedo no dia seguinte. Talvez fosse o primeiro a se levantar.

"Queria tanto ver a Carola dormindo, só um pouquinho. Se o zíper abrisse pelo lado de fora... Será que ela tá sonhando comigo? Ela está a fim de mim, certeza. E o Alfredo? Aquele boçal..."

Estava quase pegando no sono quando uma forte luz invadiu a barraca. Percebeu a claridade, mas, ao abrir os olhos, não enxergou nada.

— O que aconteceu? — perguntou-se, assustado.

Não houve resposta. Forçou a vista e conseguiu ver três sombras projetadas na lona da barraca.

"Você é o escolhido", ouviu dentro de sua cabeça.

— Saiam daqui! — berrou, desesperado.

"Você é o escolhido."

— Socorro! — gritou, querendo acordar os amigos para ajudá-lo.

No quarto das meninas, Carmem sentiu o chão tremer. "Não posso acordar", pensou, ouvindo o grito de Jonas. Com os olhos fechados, viu-se diante da gigantesca serpente. O amigo de São Paulo parecia berrar de dentro de seu ventre:

— Me ajude!

— Não posso. Não consigo — respondeu Carmem, dando meia-volta e saindo em disparada. Ao seu lado, Carola sonhava que corria na mata escura. Tentava fugir de algo. Ouviu um berro estremecer as árvores. "Me ajude, Jonas", suplicou em pensamento.

Naquele momento, ele não estava mais em seu sonho. Também não estava a menos de um metro de seu corpo, na salinha ao lado.

Jonas flutuava em direção à abertura do que parecia uma nave espacial. A barraca diminuiu de tamanho até desaparecer. Ao se dar conta, estava sozinho na penumbra de um imenso salão. As paredes e o chão eram metálicos e havia algumas colunas com estranhos símbolos gravados. Eles brilhavam. Jonas ficou encantado com aquilo. Parecia um filme de ficção científica ou um sonho muito maluco. Estendeu o braço e tocou um daqueles sinais luminosos. Ouviu um ruído atrás de si. Uma porta se abriu e duas estranhas criaturas se aproximaram. Tinham pele escamosa marrom-esverdeada. Os olhos eram largos e dourados, com pupilas verticais. Pareciam homens-serpente. Ao vê-los, ficou imóvel. Se pudesse, gritaria e correria, mas não conseguia fazer nada. Seu corpo não obedecia à sua vontade.

"Quem são vocês?", perguntou mentalmente. A voz não saía.

"Depende", respondeu um deles.

"Depende do quê?"

"Se você perguntar a um ufólogo...", prosseguiu o estranho, levantando a mão direita, semelhante a uma garra, com membranas entre os dedos. Diante de Jonas, surgiu uma tela. Ele reconheceu um sistema solar.

"...Ele vai dizer que viemos de um planeta chamado Draco. E que somos os reptilianos."

"Então, vocês são extraterrestres?"

"De certa maneira, sim. Mas preferimos outros nomes", explicou-lhe, apontando para a tela, que agora exibia diversas estatuetas de homens-serpente, parecidos com eles.

Após uma pausa, continuou:

"Acompanhamos vocês desde o berço. As primeiras civilizações nos adoravam. Éramos seus deuses."

"Os egípcios?", questionou Jonas, lembrando-se das aulas de história.

"No Egito, eu era Wadjet e também Apep."

Os homens-serpente se abaixaram para reverenciar alguém que se aproximava. Era maior do que eles, envergava uma longa capa dourada nas costas e ostentava uma coroa dourada na cabeça, com cinco pedras coloridas incrustadas. A mão esquerda marcava os passos lentos com um cajado de cobre.

"Foi um dos meus povos mais devotos. Os membros da realeza adornavam a testa com uma serpente ereta."

"Quem é você?", indagou Jonas.

"Depende. Nas Ilhas Fiji, Ratumaibulu. Na Suméria e na Babilônia, Tiamat. Entre os astecas — e seus vizinhos —, era conhecido como Quetzalcoatl. Significa 'Serpente Emplumada'. É uma das minhas representações favoritas", respondeu-lhe, apontando para a tela.

"Já entendi", disse Jonas.

"Naquela época, podíamos voar livremente por aí, entre um continente e outro, entre um povo e outro."

"O que aconteceu?", adiantou-se o "escolhido".

"De dragões temidos e reverenciados, como esse de sua vestimenta, outros 'extraterrestres' nos transformaram em uma cobrinha no jardim", explicou-lhe.

Jonas reconheceu a ilustração na tela. Ao lado de uma maçã, uma serpente insinuava-se entre um homem e uma mulher seminus.

"Você é o... Demônio?"

"Não é um nome apropriado. É preconceituoso. É a mesma coisa que você chamar o Alfredo de macaco. Vai estar rebaixando um ser humano ao nível de um animal irracional. Foi isso o que meus inimigos tentaram fazer. O *marketing* deles com os humanos funcionou muito bem."

"Como eles venceram vocês?"

"Eram em maior número. E mais fortes. Venceram apenas a primeira grande batalha. Nós nos retiramos e nos escondemos."

"Por que me trouxeram até aqui?"
"Rapaz esperto. Estamos preparando um contra-ataque. E você faz parte dele", revelou o líder, batendo o cajado contra o chão. Jonas perdeu os sentidos.

> **DEUSES ASTRONAUTAS**
>
> Lembra o papo de o piloto norte-americano Kenneth Arnold ter avistado os primeiros "disco voadores" em 24 de junho de 1947? Para alguns especialistas, isso não passa de conversa fiada. Segundo eles, os extraterrestres chegaram aqui há milhares de anos. O primeiro a conquistar fama com essa hipótese foi o suíço Erich Von Däniken, ao publicar o best-seller *Eram os Deuses Astronautas?*, em 1968. Como o título sugere, diversos deuses adorados pelos povos antigos, como os egípcios e os astecas, não passavam de alienígenas. Outros enveredaram pela mesma trilha, como o jornalista britânico Graham Hancock, que dedica parte de seu trabalho à presença dos enigmáticos deuses-serpente nas civilizações antigas.

Um forte ruído fez Vicente despertar. Estava claro. Conferiu os *walkie-talkies*. Um deles estava ligado. "Que estranho!", pensou. Faltavam dez minutos para as 8 horas da manhã. Ronco no estômago. "Será que a galera vai demorar para acordar? Estou com fome", disse para si, virando-se para Alfredo. O amigo de São Carlos parecia dormir profundamente. Ergueu a cabeça na direção do quarto vizinho. Silêncio. "Elas não devem ter acordado ainda. Acho que vou ter que esperar", conformou-se, deitando-se de costas e observando o teto de lona. Outro forte ruído. E um grito.

— O que aconteceu? — assustou-se Alfredo, desvencilhando-se do saco de dormir e voltando-se para Vicente, de onde viera o barulho.

O amigo de Belo Horizonte estava com os olhos arregalados.

— O *walkie-talkie* ligou sozinho. Você ouviu o grito?

— Claro que ouvi. Deve ser coisa do Jonas. Ele deve ter pegado o outro *walkie-talkie*. Ele me paga! — enfureceu-se Alfredo, abrindo o zíper do quarto. O amigo de São Paulo não estava lá.

— O outro *walkie-talkie* está aqui — informou Vicente, levantando-se.

— Onde está o Jonas? — perguntou Carola, abrindo o zíper e deparando com Alfredo na mesma posição.

— Não faço a menor ideia. Deve estar aprontando alguma coisa fora da barraca — respondeu o amigo de São Carlos, entrando na pequena sala e vasculhando o saco de dormir de Jonas. Estava com o zíper fechado.

— Deve ter ido pegar mais água — comentou Carola, aproximando-se dele.

— Gente, como o Jonas saiu da barraca? O zíper está fechado. Ele não fecha do lado de fora! — observou Vicente.

— Que zona é essa? — indagou Carmem, chegando perto dos demais.

— O Jonas desapareceu — disparou o caçula da turma.

— Ele deve ter saído... — ponderava a amiga de Goiânia, até ser interrompida por um berro da Carola:

— Saído como? O zíper está fechado! Devem ter sido eles!

"A serpente do pesadelo", pensou Carmem, sentindo um calafrio.

— Calma, Carola. Não precisa se desesperar — disse Alfredo. — Vou procurar o Jonas.

—Quero ir embora. Vou ligar para o meu pai — retrucou Carmem, recordando os olhos da serpente monstruosa de seu pesadelo: largos e dourados, com pupilas verticais.

— Os celulares não pegam aqui em cima — lembrou Vicente.

— Estamos isolados! O que vamos fazer? — berrou Carmem.

—Vocês precisam ficar calmas. Já disse que vou procurar o Jonas. Deve ter outra explicação pra isso. Mas juro que se estiver tentando assustar a gente de novo acabo com ele — disparou Alfredo, saltando pelo saco de dormir e chegando à entrada principal. Abriu o zíper e saiu. Olhou de um lado e do outro. Nada.

— Jonas! — berrou.

Não houve resposta.

— Vou ter que andar por aí. Preciso me trocar primeiro, comer alguma coisa e escovar os dentes.

— O que aconteceu com ele? — perguntava-se Carola, com lágrimas nos olhos.

"O grito que ouvi à noite... Eu podia ter acordado. É melhor não comentar com eles. Vão colocar a culpa em mim", pensou Carmem, voltando ao quarto e chamando a amiga:

— Carola, vamos nos trocar. Vai dar tudo certo.

— Será que ele foi sequestrado por *aliens*? — cochichou Vicente, vendo Alfredo trocar de roupa e seguindo seu exemplo.

— Não sei o que aconteceu, mas as meninas já estão histéricas. Precisamos dizer que tudo vai acabar bem.

— Você acha que... — dizia Vicente até ser interrompido.

— Acho que ele está enrascado.

Quando acordou, não tinha nenhuma noção do tempo. Estava deitado sem roupa em uma superfície fria, com a vista embaçada. Percebia apenas uma luz difusa no teto da sala. Conseguiu distinguir cinco homens-serpente em torno dele. Um deles se aproximou de seu rosto, segurando com a garra esquerda um cilindro metálico.

"O que você quer?", esbravejou Jonas.

"Fique calmo, não faremos mal a você."

"Quero sair daqui! Por que vocês me prenderam?", desesperou-se ao perceber que estava amarrado na mesa.

"Ai...", gemeu ao sentir uma agulha entrando na coxa direita. "O que vocês estão fazendo comigo?"

"Não vamos machucar você. Apenas relaxe."

"Vocês estão me machucando. Isso dói muito. Por que eu?"

"Você é o escolhido."

Aquela resposta não significava nada para ele.

"Pra quê?"

A criatura enfiou o cilindro em sua narina esquerda. Após sentir pontadas doloridas na cabeça, sua vista escureceu e ele, novamente, perdeu os sentidos.

Raquel levantou-se pouco depois das 9 horas. Nilton não estava ao seu lado. Encontrou o marido na mesa da cozinha, tomando café da manhã com a cunhada.

— Bom-dia — cumprimentou os dois, sentando-se à mesa.

— Dormiu bem? — perguntou a anfitriã.

— Muito mal. Mas a culpa não é sua — respondeu Raquel, servindo-se de café.
— O que aconteceu, querida? — quis saber Nilton.
— Tive um pesadelo muito estranho...
— Acho que preciso benzer esta casa — adiantou-se Maria.
— Por quê? — perguntou o cunhado.
— Seu irmão não dorme direito à noite já faz mais de uma semana.
— Ontem, quando chegamos, ele estava na sala, ouvindo Raul Seixas.
— Ele anda muito estranho, Niltinho. Ontem, me contou que foi perseguido por uma bola de luz quando voltava da fazenda do seu Chico e que alguém falou com ele. Também me disse que esse cantor era um profeta e que precisava descobrir o que ele escondia nas músicas. Acho que ele precisa conversar com alguém. Talvez você pudesse me ajudar.
— Ele era um dos raros moradores daqui que nunca tinham visto nada de estranho no céu — observou Nilton.
— Por isso, a história fica mais esquisita ainda. Será que seu irmão está com algum problema na cabeça?
— Onde ele está?
— Levantou cedo, tomou café às pressas e disse que precisava resolver um assunto na rua.
— Que assunto?
— Se você descobrir, me conte, por favor.
Depois de tomar a xícara de café, Raquel olhou para Maria e disparou:
— Coincidência. Meu pesadelo foi com discos voadores.
— Eles vieram te fazer uma visita? — perguntou seu marido, esboçando um sorriso.

— Estava com meu avô na fazenda. Luzes de vários tamanhos apareceram no céu. Ele me disse: "Vamos ter uma surpresa". Com uma lanterna, a gente foi percorrer o pasto. Esperava encontrar algum boi ou vaca morto, sem partes do corpo...

— Mas isso acontecia mesmo — interrompeu Nilton.

— Você não me deixou terminar. Quando atravessamos uma cerca de arame farpado, vimos algo. Ele jogou a luz... Nossa, já estou arrepiada. Não era nem boi nem vaca. Não era nenhum animal. Era o Jonas que estava lá. Tinha várias cobras em cima dele.

— Que horror! — comentou Maria. — Ainda bem que foi só um pesadelo.

— Estou com um mau pressentimento, Niltinho. Se pudesse falar com ele, ficaria mais aliviada.

— Raquel, foi só um pesadelo. Não acho oportuno ligar para o nosso filho. É importante que ele saiba liderar o acampamento. Nossa interferência pode atrapalhar tudo.

— Tudo bem — ela consentiu, cabisbaixa.

Após comer bolachas, tomar um copo de suco de laranja e escovar os dentes, Alfredo apanhou uma mochila pequena. Guardou um dos *walkie-talkies* e partiu em busca de Jonas. Vicente insistira para ir com ele. "Você deve proteger as meninas", sussurrara-lhe o amigo de São Carlos, antes de deixar o acampamento. Tinha uma boa noção espacial. Primeiro, resolveu caminhar em direção à nascente d'água. A cada cem passos, parava e gritava o nome do amigo. Ao chegar ao destino, bebeu um pouco de água. O líder da turma não estava lá. Vasculhou os arredores. Não havia sinal de Jonas. "Ou aconteceu alguma coisa ou ele se esconde muito bem", ponderou. "Esse papo de extraterrestre não me convence. Será que foi raptado por algum maníaco?", indagou-se, temendo tropeçar em algum pedaço do amigo. Ouviu um grunhido assustador. Tirou a mochila e pegou o *walkie-talkie*. Estava desligado. Ligou o aparelho e disse:

— Alfredo. Câmbio.

— Estava tentando falar com você já fazia meia hora. A Carola não para de chorar. Achou o Jonas? Câmbio.

— Não. Liguei para saber se vocês ouviram esse barulho. Câmbio.

— Não ouvimos nada. Você acha que pode ser o Jonas? Câmbio.

— Não era grito de gente. Talvez seja a mesma coisa que eles ouviram ontem. E o que acordou a gente hoje de manhã. Câmbio.

— Você vai voltar? Câmbio.

— Vou procurar mais. Câmbio, desligo.

"Droga! Deve ser algum animal selvagem. Talvez tenha sido ele que tenha pegado o Jonas. Mas como?", questionou-se, procurando algo no chão. Enxergou um galho maior. Parecia um bastão. Abaixou-se para pegá-lo. Ouviu um grunhido mais alto... Mais próximo. "Será que ele me farejou?", perguntou-se, com o coração aos saltos. Ouviu passos se aproximarem. "Preciso fugir. E se ele correr mais rápido?", desesperou-se. Decidiu subir em uma árvore. Conferiu o horário: 11h11. Olhou em volta. A 500 metros de distância enxergou uma pequena construção de alvenaria. Erguendo-se sobre ela, um símbolo. Era uma lua crescente. "Acho que ele descobriu um lugar melhor para dormir do que na barraca. Ou então deve ter sido arrastado para lá... Preciso checar", pensou, olhando em todas as direções. "O animal deve estar longe", concluiu, descendo da árvore. Com pressa, avançou na direção do "casebre". Ouviu passos. Levantou o bastão improvisado. Poderia desferir um golpe em quem se aproximasse, animal ou gente. Um grunhido. Olhou por cima do ombro e não percebeu que estava a um passo de uma pedra. Tropeçou e estatelou-se no chão. Não conseguiu conter o grito ao voltar-se para a frente e se deparar com uma cobra a poucos centímetros de seu rosto. Estava preparada para dar o bote.

Algo passou balançando a copa das árvores. Os três ergueram a cabeça, mas não viram nada.

— O que foi isso? — assustou-se Carmem.

— Deve ter sido um pássaro — arriscou Vicente, lembrando-se de que Alfredo o instruíra a tranquilizar as duas. "Ou uma nave espacial. Ou um demônio", completou em pensamento.

— Devia ter aceitado o pedido de namoro — arrependeu-se Carola. — Se tiver acontecido alguma coisa com ele, nunca vou me perdoar.

— Não se culpe. Não fique assim — aconselhou Carmem.

— Vamos torcer para o Alfredo achar o Jonas e voltar logo.

— Vou rezar dentro da barraca. Querem vir comigo? — convidou Vicente, torcendo para que aceitassem.

— Vou ficar aqui, esperando o Alfredo voltar — retrucou Carola.

— Vou ficar com minha amiga — disse Carmem.

— Volto logo — despediu-se Vicente, carregando o *walkie-talkie* ligado. Ajoelhou-se ao lado de seu saco de dormir.

Juntou as mãos e rezou em pensamento: "Meus Deus, que os anjos da guarda protejam o Alfredo e o Jonas. E que a gente possa sair daqui logo". Respirou fundo. Do lado de fora, Carola pegou o celular no bolso da calça. Não havia sinal.

— Não é possível! Estamos presas aqui em cima.

— Calma, amiga. Vai dar tudo certo.

— E se o Jonas... E se ele não voltar mais?

— Ele vai voltar — disse Carmem, lembrando-se dos olhos da serpente de seu pesadelo. "Será que ele foi engolido por uma cobra?", pensou.

Já tinha dado várias voltas em Morro do Ferro. Mas não o encontrara em parte alguma. Parou na praça da igreja e sentou-se em um banco. "Talvez ele possa esclarecer o que eu vi", considerou Bento, com os olhos fixos na fachada do santuário. Menos de dois minutos depois, observou o único mendigo do vilarejo surgir de dentro. "O único lugar em que eu não procurei." Com passos mais firmes do que o habitual, Rui caminhou no sentido oposto. Bento levantou-se e foi a passos largos em sua direção. Quando estava a menos de dois metros, chamou-o:

— Rui!

— Me deixem em paz. Consegui me livrar de vocês — ele retrucou, sem se virar.

— De quem, Rui? Sou o Bento.

— Bento? — surpreendeu-se o indigente, virando-se. — O que quer comigo?

— Pensei que talvez você precisasse de ajuda... — insinuou, tirando notas de dois reais do bolso.

— Aceito — apressou-se Rui, erguendo a mão e apanhando o dinheiro em um gesto mais rápido do que Bento esperava.

95

— Agora deixe de conversa fiada e diga por que veio atrás de mim.
— Há alguns dias, fui perseguido por uma luz...
— Fique longe daqueles malditos!
— Por isso vim atrás de você. Quero saber: quem são eles?
— São demônios!
— Não são extraterrestres?
— Você já viu demônio nascendo em maternidade? Claro que eles não são daqui.
— Como eles são?
— Uma mistura de homem com cobra... — respondeu Rui, com o olhar distante.
— Quando eles te levaram, você viu alguém como nós?
— Várias pessoas estavam lá. Algumas foram levadas à força. Outras tinham "vendido a alma". Algumas, como eu, conseguem escapar. Outras, caem na armadilha.
— Como assim?
— Acho que trabalhavam pra eles.
— Lembra-se de alguém?
— De todos eles...
— Você viu... — Bento estava prestes a perguntar, quando foi interrompido por um grito.
— Já chega! Fuja enquanto é tempo. Você ainda pode. Mas, para ele, já é tarde.
— Para quem?
— Para o seu sobrinho!

Bento arregalou os olhos. Girou sobre o calcanhar e saiu em disparada rumo à sua casa.

O TEMPLO DA MÃE SERPENTE

"ESTOU VIVO!", EXCLAMOU EM PENSAMENTO. "DEVO ter sonhado com tudo."

Para seu desespero, fora real. Continuava deitado em uma mesa fria, porém, vestido. Olhou à sua volta e teve a impressão de estar em uma sala cirúrgica. Não havia ninguém naquele lugar. Ele não estava mais amarrado. Ao levantar-se sentiu uma forte dor na coxa direita. Não conseguia firmar a perna no chão. Precisava arrastá-la, e isso dificultaria sua tentativa de fuga. Era uma questão de sobrevivência. "O que mais farão comigo se eu ficar aqui por mais tempo?", pensou Jonas. Conseguiu aproximar-se de uma porta. Ela se abriu automaticamente. Tentou verificar as horas. Seu relógio parara às 23h36. Não sabia quanto tempo se passara desde que fora arrancado da barraca. Deduziu que seria próximo das 2 da manhã. Entrou em outra sala mais estreita e com menos luz.

"A saída deve ser por aqui... Que droga, nem sei onde estou. Como vou sair de dentro de uma nave espacial?", questionou-se, desanimado. "Preciso sair daqui de qualquer jeito", insistiu consigo. A perna direita começou a formigar. Encostou-se na parede e amparando-se nela chegou ao fim da sala. Uma porta se abriu. Atrás dela havia enormes colunas de vidro. "O que é isso?", perguntou-se. Ao chegar perto de uma delas, enxergou um estranho feto imerso em um líquido viscoso esverdeado, com o corpo ligado a vários tubos que desciam da parte superior. Parecia uma combinação de seus anfitriões com seres humanos. Ao seu redor, viu várias outras criaturas idênticas. Ficou aturdido, sem saber para onde ir. Deviam estar observando seus passos. Ele olhou para cima procurando alguma câmera de vídeo. Não encontrou nada. Afastou-se daquela "aberração" e caiu. Pressentiu que eles estavam chegando perto. Começou a se arrastar pelo chão como se fosse um animal fugindo do predador. Não adiantava se esconder. Uma porta se abriu e três extraterrestres chegaram perto. Estavam em pé e pareciam grandes, terríveis, prontos para o golpe mortal.

"Me ajude", pediu, pensando em sua mãe. Encarou os olhos dourados da serpente. Respirava devagar. Temia que qualquer movimento brusco pudesse precipitar o ataque. Deslizou a mão esquerda pelo chão, à procura de uma pedra. Havia uma ao seu alcance. Agarrou-a. "Preciso atacar antes", decidiu, contando mentalmente até três. No final, girou o braço. Não foi rápido o suficiente para atingir o animal. Ao se dar conta, a cobra rastejava rapidamente na direção do "casebre". Levantou-se e respirou fundo.

— Foi por pouco — murmurou, apanhando o galho.

Sentiu o tornozelo latejar. Mas resolveu caminhar até a pequena construção. Em menos de meia hora, estava a poucos metros da entrada, escondido atrás de uma árvore. Inclinou levemente o corpo para avaliar o lugar. Construído com blocos de concreto, não devia ter mais de cem metros quadrados. Na fachada, pintada de verde, uma frase em letras de fôrma: "Templo da Mãe Serpente".

— Que merda é essa? — indagou-se, surpreso. "Vou ter que ir até lá para checar", pensou. Tentou ouvir algo. Nada. Com passos suaves, aproximou-se da porta de metal. Uma serpente devorando o próprio rabo servia de batente. Silêncio. Empurrou a porta com o galho. Ela rangeu. "Será que o Jonas está aí dentro?", perguntou-se, avançando lentamente. Diante dele, uma mesa de pedra. Na parede oposta, pintada sobre o fundo escuro, a imagem de uma serpente tocando flauta. Ao lado esquerdo, bebês metade gente, metade cobra pareciam dançar. Pichada no canto esquerdo, a frase: "Viva a Sociedade Alternativa!".

— Credo! — deixou escapar.

Deu um passo em direção ao interior e percorreu o lugar com os olhos. O amigo de São Paulo não estava lá. Do lado esquerdo havia uma estátua. Chegou perto. O homem usava óculos de sol e tinha cabelo comprido, barba e bigode. Gravada na base, apenas a palavra "profeta".

— Parece o Raul Seixas — observou, ouvindo o barulho de algo se arrastando atrás do "altar". — Jonas? — indagou, avançando em um impulso.

Dezenas de cobras de vários calibres e cores mexiam-se, amontoadas.

— Preciso sair logo daqui.

Antes de correr em direção à porta, apanhou o celular e tirou várias fotos. Já do lado de fora, ouviu o barulho de algo bater atrás de si. Virou-se. A porta se fechara. Escondeu-se atrás de uma árvore e pegou o *walkie-talkie*.

— Alfredo falando. Câmbio.

— Encontrou o Jonas? Câmbio.

— Vicentinho, fique com as meninas. Vou precisar descer o morro atrás de ajuda. Câmbio.

— O que aconteceu? Câmbio.

— Nada. Vou ver se lá embaixo o celular funciona. E vou pedir ajuda. Câmbio.

— Quer que eu vá com você? Câmbio.

— Quero que você diga às meninas que fui buscar resgate. Câmbio.

— Pode deixar. Cuidado. Câmbio.

— Câmbio, desligo — despediu-se Alfredo, guardando o aparelho na mochila.

Ele conhecia a trilha para descer o Morro dos Anjos. Achou melhor não correr. Podia despertar os "demônios". Na descida, evitou olhar para os lados. Sentia-se observado por dezenas de olhos dourados, como os da serpente que quase o atacara.

Ainda estavam na mesa do café da manhã quando Bento irrompeu na sala, dizendo:

— Precisamos resgatar os meninos.

— O que aconteceu? — assustou-se Raquel, levantando-se da mesa e indo ao seu encontro.
— Estava conversando com o Rui...
— O Rui é um bêbado, Bento — interrompeu sua esposa.
— Não importa. Ele me disse que o Jonas corria perigo.
— O que... O que aconteceu com meu filhinho?
— Calma, Raquel — disse Nilton. — Você não pode se desesperar pelo que disse um mendigo.
O telefone da sala tocou. Maria correu para atendê-lo.
— É para você, Niltinho. É o Toninho.
— O que aconteceu? Faz tempo que ele ligou? Estou indo agora.
— O que aconteceu, Niltinho? — desesperou-se Raquel.
— O Jonas... — ele engoliu seco antes de prosseguir.
— ... Está desaparecido.
— Meus Deus!
— Calma, querida. Ele deve ter saído atrás de alguma coisa e se perdeu. Vamos encontrá-lo.
— Promete?
— Prometo. O Morro dos Anjos é um lugar seguro — respondeu seu marido, pegando o casaco e recordando-se das palavras do pai de Murilo no último jantar: "A vida é um negócio esquisito. Ela gosta de pegar a gente no contrapé".
— Vai dar tudo certo. Se precisar de algo, ligue para cá — disse Bento. "Lá não é um lugar seguro", completou em pensamento.
— Obrigado.
Sob o olhar aflito dos três, Nilton deixou a casa.

Quase duas horas e meia depois de ter deixado o acampamento, Alfredo estava de volta. Encontrou os amigos ao lado dos restos da fogueira da noite anterior. Os três não esconderam o espanto ao vê-lo sozinho. Ele ignorou as perguntas de Carola e de Vicente e entrou na barraca. Avançou até seu quarto e sentou-se sobre o saco de dormir. A amiga de São Carlos foi até lá. Parou na porta, com os olhos marejados e os lábios trêmulos. Queria dizer algo, mas a voz não saía.

— Não encontrei o Jonas. Consegui ligar para o meu pai. Eles estão vindo para cá — adiantou Alfredo.

— Nada... — murmurou Carola.

— Nem sinal — respondeu-lhe, lembrando-se do templo da mãe serpente.

— Você procurou direito?

— Fiz o melhor que pude. É melhor esperar eles chegarem. Quanto mais gente, melhor — disse Alfredo, observando-a afastar-se. Logo, Vicente estava diante dele:

— Pensei que tivesse acontecido alguma coisa com você, Alfredo. Você ficou quase três horas fora daqui.

— Nossos pais estão vindo pra cá, pra ajudar a procurar o Jonas.

— E levar a gente de volta pra Morro do Ferro. Não quero mais ficar aqui. O que você acha que aconteceu com ele?

— Não foi coisa boa — sussurrou o amigo de São Carlos.

— Você viu alguma coisa?

— Ouvi um barulho bem estranho. E cheguei a um lugar bem sinistro. Promete não contar pras meninas?

— Juro.

— Era o templo da mãe serpente. Tirei umas fotos — revelou Alfredo, apanhando o celular e mostrando ao amigo as imagens que fizera de lá.

— Uau! — Vicente deixou escapar. — O que é isso?

— Prefiro não saber agora.

— Mas o que você acha? — insistiu o amigo de Belo Horizonte, chegando à foto das cobras atrás do altar.

— Acho que é um templo para culto satânico, ou algo assim...

— Credo! — disse Vicente, fazendo o sinal da cruz. — Você acha que pegaram o Jonas...

— Tenho quase certeza disso...

— O que acha que vão fazer com ele?

— Nesses cultos satânicos, eles matam as pessoas e bebem o sangue — disparou Alfredo, encarando o amigo.

Vicente tremia dos pés à cabeça. As horas seguintes se arrastaram. Os quatro amigos mal conversaram. Ficaram aliviados quando Murilo chegou com os outros pais, carregando uma espingarda. Nenhum deles sorria. Nilton tentava disfarçar o desespero. Carola chorava. Alfredo puxou Antônio em um canto e contou para ele sobre o templo macabro. Estava certo de que aquilo tinha uma conexão direta com o desaparecimento de Jonas. Assustado com a história, ele reuniu os amigos e mostrou as imagens no celular do filho.

— Deve ser a igreja que o Paulo, amigo do meu pai, construiu aqui em cima — deduziu Murilo.

— Será que ele sequestrou meu filho?

— Ele morreu anteontem — lembrou-lhe Otávio. "Eles devem ter pegado o Jonas. Isso vai devastar o Niltinho e a Raquel", pensou.

— Será que mais alguém frequentava isso? — indagou Francisco.

— Não sei. Mas precisamos fazer uma busca antes que escureça. Vamos nos dividir em dois grupos. O Niltinho e eu seguimos na direção desse negócio — instruiu Murilo. —

Vou pedir para o Alfredo nos levar até lá. Otávio e Antônio seguem na direção oposta.

— E eu? — quis saber Francisco.

— Você só vai nos atrasar. Enquanto procuramos o Jonas, ajude as meninas a arrumar as coisas e a desmontar a barraca. Devemos partir daqui hoje. Vamos nos encontrar neste lugar em duas horas.

Ao entardecer, nove pessoas partiram do Morro dos Anjos. Na descida, o som dos passos misturava-se aos da mata. Na retaguarda, Nilton andava solitário. Não tentava disfarçar o desespero. As lágrimas corriam em seu rosto. Sentia um aperto no peito e a garganta travada. As costas ardiam. O peso da bagagem parecia milhares de vezes maior. Os olhos caminhavam dezenas de metros adiante, em busca de algum sinal de seu filho. Ao chegar ao pé do morro, foi tomado por uma sensação de vazio. E tristeza. A esperança estava destroçada. Caiu de joelhos e cobriu o rosto.

— É culpa minha. Eu tive a ideia desse maldito acampamento.

— Não se culpe, Niltinho. Estamos juntos nessa — disse Antônio, aproximando-se e colocando a mão direita em seu ombro.

— Vocês estão saindo daqui inteiros. Eu estou mutilado.

— Não desistimos. Vamos voltar amanhã quando clarear. Vamos trazer reforços. Vamos virar esse morro ao avesso. Mas vamos encontrar o Jonas — encorajou Murilo.

— Não vou me perdoar nunca — desabafou Nilton, levantando-se e dando as costas ao Morro dos Anjos.

UM POUCO DE HUMANO, UM POUCO DE EXTRATERRESTRE

ELES VOLTARAM NA MANHÃ SEGUINTE E VASCULHAram o lugar. Nada. Intensificaram as buscas nos outros dias. Nem sinal do Jonas. O desespero de Raquel deu lugar a uma crise depressiva. A falta de esperança de Nilton foi substituída pela obsessão em encontrar seu filho. Nem que fosse apenas um corpo sem vida. Precisava descobrir o que acontecera com ele. E não pretendia partir de Morro do Ferro antes disso. Alheia a tudo, Carola quase não saía do quarto e evitava as ligações de Carmem. Alfredo e Vicente se encontravam todos os dias e conversavam sobre futebol, internet, garotas, filmes, seitas satânicas, discos voadores e Jonas:

— Você acha que ele vai voltar?

— Minha mãe me proibiu de falar sobre isso — retrucou Vicente.

— Por que sua mãe proibiu? Ela não acredita que eles existam?

— Ela disse que a Raquel chora todos os dias e eu não devo ficar falando besteira por aí.
— Então, vai ter que calar a cidade inteira. Todo mundo só fala nisso.
— Ontem, ouvi meu avô dizer que o Rui também sumiu um tempão. E, quando todos menos esperavam, estava de volta — contou Vicente.
— Você acha que levaram o Jonas para o mesmo lugar?
— Acho que sim. Mas não sei se ele está em uma nave espacial, em uma base subterrânea...
— No inferno... — completou Alfredo.
— Acho que ele foi sequestrado por alienígenas.
— Quem quer que seja, não tirou os olhos da gente. E podiam ter pegado qualquer um de nós. Por que escolheram o Jonas?
— Azar... — arriscou o amigo de Belo Horizonte.
— Desde que a gente voltou, tenho pesadelos com o templo da mãe serpente. Será que existe uma conexão entre os alienígenas e aquele lugar sinistro?
— Vamos pesquisar no Google — respondeu Vicente. — Ainda bem que a gente voltou de lá.
— É verdade. E eu podia ter morrido. Imagine se eu tivesse sido picado por aquela cobra venenosa.
— Vire essa boca pra lá!
— Se eu voltar pra São Carlos e a Victoria não quiser mais ficar comigo, vou preferir estar no lugar do Jonas, seja onde for.
— Para de dizer besteira. Vai saber o que fizeram com ele.
— E o que estão fazendo...

Deitada na cama, Carola escrevia em seu diário:

> Hoje faz quinze dias que o Jonas sumiu. Onde será que ele está? Queria tanto que estivesse aqui comigo. Tenho certeza de que ele não morreu... Que ele vai voltar.

— Carola! — chamou Sofia, tentando abrir a porta do quarto.

— O quê? — respondeu a filha, levantando-se.

— A Carmem está aqui.

Ela destrancou a porta e voltou para a cama.

— Por que você está me evitando? — indagou a amiga de Goiânia. — Pensei que fôssemos amigas.

— Claro que somos amigas. Mas estou tão... Não tenho vontade de conversar com ninguém.

— Não fique assim...

— Você diz isso porque não é com você. Todo mundo diz isso — interrompeu Carola. — Mas quer saber de uma coisa? Sinto aqui dentro... — prosseguiu, apontando para o coração — ... que ele vai voltar.

— Hoje chega uma equipe de busca. Eles vêm até com cães farejadores. Vai dar tudo certo. Você vai ver — consolou-a Carmem, acariciando seu cabelo.

— Eu amo o Jonas. Devia ter respondido sim ao pedido.

— Mas você me disse não ter certeza se queria.

— Eu sei o que eu disse. Mas eu daria tudo pra estar com ele agora, não importa onde. Foi aquilo que a gente ouviu no mato. Aquele barulho horrível... O que fizeram com ele? — dizia Carola, em prantos.

— Vamos esperar que ele conte pra gente — esquivou-se Carmem.

"Ele pode até voltar, mas...", completava em pensamento.

Desde que voltara do acampamento era atormentada, em seus pesadelos, pelos olhos da gigantesca serpente. Para ela, algo de muito ruim acontecera com o Jonas.

Ele abriu os olhos. Estava deitado em uma maca. A última lembrança era a de três homens-serpente parados diante dele. Pareciam prestes a atingi-lo. Tentou mexer as pernas. Não conseguiu.

"O que vocês estão fazendo comigo?"

"Calma. Não vamos machucá-lo", alguém lhe disse por telepatia.

"Como assim? Estou todo ferrado. Não sinto minhas pernas."

"Você é o escolhido."

"Vocês ficam repetindo isso o tempo todo. Me deixem em paz, quero voltar pra casa."

Sua garganta estava seca e as palavras saíam apenas em pensamento.

"Você vai para casa, mas antes queremos que veja algo. Pode levantar-se agora."

Ele voltou a sentir as pernas e conseguiu ficar em pé. Uma porta à esquerda se abriu.

"Venha."

Apesar da dor, Jonas obedeceu. Passou por incontáveis colunas, olhando para baixo e evitando as "aberrações". Chegou a uma sala com várias portas laterais. Diante dele, havia uma tela.

"Eu juro que se me soltarem não vou contar nada do que vi aqui", suplicou.

"Várias pessoas nos veem todos os dias. Muitas preferem o silêncio, outras resolvem contar o que aconteceu, outras simplesmente esquecem. Isso não importa. De uma maneira ou de outra, os escolhidos nos ajudam a preparar o futuro. E o futuro é a volta ao passado."

"Como assim?"

"Vamos retomar nosso lugar no altar da humanidade. Somos deuses, Jonas."

"O que são aquelas coisas?", indagou, referindo-se aos fetos bizarros nas colunas.

As portas laterais da sala se abriram e entraram várias "crianças". O corpo era escamoso. A cabeça, parecida com a de seus raptores. Porém os olhos, também dourados e de pupilas verticais, tinham um brilho inocente e hipnótico.

"O que é isso?"

"O futuro. Nós estamos recriando a espécie humana."

"Eles são híbridos?"

"Eles são a combinação perfeita entre vocês e nós."

"Como fazem isso?"

"Esta é uma das bases subterrâneas que temos pelo mundo. Monitoramos homens e mulheres na superfície e os trazemos até aqui. Retiramos várias amostras de tecido para verificar se são suficientemente saudáveis. Caso sejam, nós aproveitamos seu material genético."

"Foi isso o que fizeram comigo?"

"Também fizemos isso com você. Mas sua missão é muito maior, Jonas."

"Qual é?"

"Você vai descobrir no momento certo."

"O que acontece depois?"

"Está próximo o dia em que nos revelaremos a todos."

"O que acontecerá com a gente?"

"Serão eliminados e darão lugar a esta nova geração."

Mesmo atordoado, Jonas sentiu um calafrio ao imaginar a humanidade sendo exterminada. Na tela à sua frente apareceu um lindo campo, repleto de flores coloridas, animais dóceis, frutas silvestres e vários pequenos seres híbridos brincando felizes.

"É o paraíso."

Jonas não sabia se pensara aquilo ou se era uma mensagem telepática. Olhou em volta. O homem-serpente vestindo capa dourada e coroa apareceu entre as "crianças".

"Já vou voltar?", indagou-lhe.

"O *show* ainda não acabou", retrucou o líder, batendo com o cajado de cobre no chão. Por uma das portas laterais, alguém entrou usando óculos de sol e carregando uma guitarra. Lembrou-lhe o Raul Seixas. Logo, ele começou a cantar:

Viva! Viva!
Viva a Sociedade Alternativa!

Jonas olhou em volta. Os "extraterrestres" dançavam ao ritmo da música. Fechou os olhos. Ao abri-los, não estava mais entre eles.

CONTATOS IMEDIATOS

Em 1972, o astrônomo norte-americano J. Allen Hynek criou três categorias para classificar os possíveis encontros entre humanos e alienígenas:

Contatos Imediatos do Primeiro Grau (CI-I): É o simples avistamento de um óvni. Quase todos em Morro do Ferro se enquadram em um CI-I.

Contatos Imediatos do Segundo Grau (CI-II): O óvni deixa rastro de sua passagem, como marcas de pouso. Neste nível, a testemunha consegue observar mais detalhes da nave.

Contatos Imediatos do Terceiro Grau (CI-III): O diretor Steven Spielberg popularizou esta categoria com o filme homônimo, lançado em 1977. Esqueça a nave. O que importa são seus tripulantes. Se você já viu algum alienígena, dentro ou fora de um óvni, está enquadrado no CI-III. Até quem já "conversou" com os extraterrestres pode ser situado aqui, desde que tenha sido apenas um bate-papo inofensivo.

Contatos Imediatos do Quarto Grau (CI-IV): Esta classificação foi acrescentada mais tarde. Para chegar a esse ponto, é preciso ter sido levado a bordo de uma nave espacial e submetido a experiências. É o caso de Jonas e de todos os abduzidos. Ou seja, apenas os escolhidos por eles carregam esse privilégio... Ou maldição.

— Querida, a equipe de busca chegou e o Murilo foi com eles até a fazenda — Nilton informou à Raquel, inconsolável no sofá da sala, ao lado da concunhada. — Não se preocupe mais, hoje vou trazer nosso filho de volta — despediu-se, com um beijo em sua testa.

— Cuidado... — ela disse entre lágrimas.

— O Otávio, o Toninho e o Chiquinho irão com a gente. Reze por nós.

Nilton saiu de casa com Bento e foi encontrar-se com os amigos. A equipe de busca já estava na fazenda de Joaquim, pai de Murilo, e os esperaria antes de partir para o Morro dos Anjos. Nilton fizera uma promessa sem a certeza de poder cumpri-la. Ele revirara aquele morro diversas vezes e não encontrara nada. Precisava ser realista. Precisava se convencer de que o filho partira para sempre. Tinha que ser forte para cuidar de Raquel e ajudá-la a suportar a dor da perda. Não devia chorar perto dela. Enquanto marchava rumo ao lugar das buscas pensava em seu filho e no que diria a ele se soubesse que nunca mais se veriam de novo.

"Meu querido filho, tudo o que fiz até hoje foi pensando no seu bem, tudo", lágrimas começaram a escorrer em seu rosto. Murilo, andando ao seu lado, colocou a mão em seu ombro e disse:

— Niltinho, sei que não sou a melhor pessoa pra estar com você neste momento, mas saiba que também sofro muito com tudo isso. Todos de Morro do Ferro compartilham a sua dor. Pode contar comigo em tudo o que precisar. Farei tudo o que puder.

— Obrigado, amigo. Sei que você faria tudo o que estivesse ao seu alcance. Mas agora só um milagre poderia trazer meu filho de volta.

Ao chegarem ao pé do Morro dos Anjos, o comandante da investigação aproximou-se de Murilo:

— Senhor, pode seguir na frente e nos mostrar o local exato onde a barraca foi armada?

— Claro!

Otávio e Francisco seguiam atrás. Nilton subia pela trilha sem dizer nenhuma palavra, recordando o dia em que foi com os mesmos amigos levar os filhos para acampar. "Se não tivesse dado a maldita ideia, tudo estaria bem agora", lamentou-se. Ao seu lado, Bento continuava em silêncio. Desde a ligação de Antônio, ele tentava descobrir a conexão entre o sequestro do sobrinho, a experiência que tivera quando voltava da fazenda do compadre Chico, as canções de Raul Seixas e as palavras de Rui.

— Como ele sabia? — Nilton interrompeu seus pensamentos.

— O quê? Quem?

— Desde que o Jonas desapareceu, não consegui raciocinar bem. Como deixei escapar isso?

— O quê? — insistiu Bento.

— Como o Rui sabia que meu filho corria perigo?

— Ele também foi sequestrado pelo "moço do disco voador". Deve enxergar coisas que a gente não vê.

— Impossível! Ele não passa de um bêbado. Deve ter algum envolvimento nisso.

— Niltinho, eles existem. Pouco antes de vocês chegarem, eu fiquei frente a frente com aquelas criaturas.

— A Maria me contou. Você só pode ter bebido.

— Juro que não bebi nem uma cachacinha.

— Como eles eram?

— Uma mistura de homem com cobra — revelou, completando em pensamento: "E ele estava no meio deles".

— O filho do Toninho achou uma espécie de igreja no topo. Parece que foi construída por um amigo do pai do Murilo. Fui até lá. Era o... templo da mãe serpente. Dentro, tinha um altar e um desenho na parede.

— Como era? — adiantou-se Bento.

— Uma serpente tocava flauta. E alguns bebês-cobra dançavam. Também tinha uma estátua de um homem parecido com o Raul Seixas. Estranho, não?

— Será que o homem que construiu isso conversava com os extraterrestres? — perguntou. "Não tenho a menor dúvida. As coisas começam a fazer sentido. Mas o que ele tem a ver com isso?", questionou-se.

— Talvez... — murmurou Nilton, enquanto o irmão cantava em pensamento:

Ao som da flauta da mãe serpente
No parainferno de Adão na gente
Dança o bebê
Uma dança bem diferente

— Embaixo da estátua do... Raul Seixas, estava escrito "profeta" — completou seu irmão. — Segundo a Maria, você disse que esse cantor era um profeta e que tinha escondido segredos nas canções. Você frequentava esse lugar, Bento?

— Está me estranhando, Niltinho? Se soubesse de alguma coisa, teria contado a você. Voltei a escutar Raul Seixas depois da minha experiência com o disco voador. Quando aconteceu, o rádio tocava uma canção dele. Ela falava do "moço do disco voador". Pra mim, isso não é coincidência. Eles devem ter armado tudo isso. Também acho que o Raul

Seixas conversava com os mesmos extraterrestres e deve ter escondido alguns segredos nas músicas.

— Não está me escondendo nada, Bento? — inquiriu Nilton, olhando para o irmão com o canto dos olhos.

— Não — ele respondeu. "Só um detalhe que talvez seja a chave do mistério", completou em pensamento.

— Acredito em você. O Raul Seixas era um dos cantores preferidos do pai. Nos últimos dias... — dizia Nilton, até ser interrompido por um dos investigadores, já no cume.

— Pode me passar a camiseta do seu filho?

— Aqui está.

O policial aproximou-a do focinho de todos os cães farejadores, antes de dizer:

— Em frente!

Ao ouvir o comando, os animais começaram a vasculhar o solo à procura de um rastro. Em pouco tempo, arrastavam atrás de si a equipe de investigadores e todos os demais.

Volta e meia os cães cheiravam o caminho para certificarem-se de que estavam certos.

— Estão levando a gente até a nascente d'água — observou Murilo.

— A Carola disse que eles foram pegar água no dia em que chegaram — comentou Nilton, desanimado.

Eles já tinham procurado naquele lugar e não encontraram nenhum vestígio do filho. Para ele, era inútil voltar lá.

Os animais aumentaram a velocidade. Começaram a latir sem parar. Ao se aproximarem da nascente, colocaram o rabo entre as pernas. Pareciam amedrontados.

— Tem alguém aqui! — berrou um dos investigadores.

— Quem é? — indagou Nilton, correndo em sua direção e flagrando um garoto agachado, com a cabeça enfiada na água. Seu coração disparou. Não acreditando no que via, esfregou os olhos. Jonas estava ali, na sua frente. E vivo.

— Um milagre! — surpreendeu-se Murilo.

— Filho! — gritou Nilton.

Alheio à presença de todos, Jonas nem se virou. Continuava na mesma posição, bebendo água sem parar. Seu pai aproximou-se, abaixou e tocou em suas costas.

— Aiiiiiiiiiiiiiii! — gritou Jonas, com a voz rouca, contorcendo-se no chão. Estava descalço e com as roupas esfarrapadas. Havia sangue seco em seu rosto, na bermuda bege e na camiseta de dragão.

— Calma, filho! Sou eu, seu pai.

"O que será que fizeram com ele? Será que o mesmo que fizeram com o Rui? Será que ele vai se recuperar e contar o que aconteceu? Será que ele o encontrou lá?", indagava-se Bento.

Jonas começou a chorar. Com a ajuda de um dos policiais, Nilton carregou o filho até a fazenda do pai de Murilo. Depois o levou até Raquel. Cumprira a promessa. Ela abraçou o filho com força e chorou de felicidade. Jonas estava pálido e não dizia nada. Parecia distante do que acontecia ao seu redor. Sua mãe preparou um banho e cuidou da ferida inflamada em sua coxa direita.

— Comida... — ele murmurou a primeira palavra após o retorno. Sua tia Maria fez uma sopa de legumes. Jonas repetiu três vezes, lambuzando-se todo.

Alfredo passou na casa dos avós de Vicente. O amigo de Belo Horizonte o esperava no portão.

— Descobriu mais alguma coisa? — perguntou-lhe.

— Meu pai disse que ele está todo ferrado. Tinha sangue por toda a parte — entregou Vicente.

— O que mais?

— Ele não conseguia nem andar. Precisou ser carregado morro abaixo.

— Será que os extraterrestres aleijaram o Jonas? — sugeriu Alfredo.

— Coitado. Espero que não.

— Pelo menos ele está de volta. E vai contar tudinho pra gente.

— Você disse que a gente ia fazer uma visita? — perguntou Vicente.

— Mandei uma mensagem para o celular. Mas ele não me respondeu. Não deve ter tido tempo de carregar.

— Você precisa mostrar pra ele as fotos daquele lugar sinistro. Quem sabe ele não possa explicar o que significa tudo aquilo?

— É verdade — concordou Alfredo, tocando a campainha da casa de Bento e Maria.

Nilton atendeu e sorriu ao ver os dois:

— Ele está de volta? — adiantou-se Vicente.

— Nós o encontramos hoje.

— Onde? — quis saber Alfredo, imaginando o templo da mãe serpente.

— Na nascente d'água.

— Rodei tudo aquilo e não vi nem sinal dele.

— Nós também não.

— A gente veio fazer uma visita — disparou Vicente, esticando o pescoço para espiar dentro da casa.

— Fico feliz que tenham vindo. Mas ele ainda não está bem pra receber os amigos.

— É verdade que ele não consegue mais andar? — indagou Vicente, arregalando os olhos.

— Ele passou por uma experiência traumática e precisa se recuperar. Vamos combinar o seguinte: quando ele estiver bem, peço pra ligar pra vocês. Tudo bem?

— Claro! — concordou Alfredo. — Até mais.

Poucos passos depois, Vicente quebrou o silêncio:

— Acho que ele está bem mal.

— Fiquei de avisar a Carola — lembrou o amigo de São Carlos, pegando o celular do bolso da calça e acessando o número da amiga. Ela atendeu na hora:

— Como ele está?

— Não sei. O pai dele disse que é melhor não receber ninguém ainda.

— Ele não falou como o Jonas está?

— Não. Se descobrir mais alguma coisa, te ligo. *Ok*?

— Obrigada. Tchau.

— Será que ele vai ficar bom? — perguntou Vicente, observando Rui cambalear na direção oposta.

— Esse aí nunca se recuperou — comentou Alfredo, apontando com a cabeça para o indigente.

Querido diário, meu coração estava certo. O Jonas voltou. Todos estão dizendo que ele está mal, mas sinto que logo vai voltar ao normal. Assim que meu pai chegou e me disse que ele tinha sido encontrado, mandei uma mensagem para o seu celular: "Estou com saudade. Queria muito te ver. Me escreva logo. Beijos". Agora

entendo por que ainda não me respondeu. Não consigo nem imaginar o que ele passou. Foram quinze dias desaparecido. O que será que fizeram com o Jonas? Quem será que o sequestrou?

Carola registrara em seu diário. Não imaginava que Jonas passaria quase uma semana isolado na casa dos tios. Nos dias seguintes, mandou torpedos. Não teve resposta. Tentou ligar em seu celular. Só dava caixa postal. Na última vez, gravou uma mensagem:

— Estou tão preocupada. Não consigo falar com você. Nem posso te visitar. Me ligue quando puder.

Terminou com a voz embargada. Em poucos dias, zarparia com os pais para Ribeirão Preto. E demoraria quase um ano para encontrar-se novamente com ele. Engoliu seco. Teve muito tempo para pensar no pedido de namoro. E já tinha a resposta.

Jonas levantou-se e pegou o celular. Estava descarregado ao lado do criado-mudo. O relógio de pulso marcava 23h36. Acendeu a luz e olhou em volta. Estava a salvo, no quarto da casa de seus tios, em Morro do Ferro. A perna direita doía bastante. Tinha um curativo acima do joelho. Tirou a bandagem e viu a ferida.

— Me pegaram mesmo — concluiu, lembrando-se dos homens-serpente e do que tinham dito e feito com ele. "Será que eles vão acreditar em mim? Ou vão dizer que acordei antes, me escondi e inventei essa história toda?", questionou-se, pensando na turma. "Pelo menos a Carola tem que acreditar. Espere aí..."

— O acampamento não duraria três dias? Então por que meu pai estava lá e me trouxe de volta? — indagou-se, tendo *flashes* do momento em que fora resgatado. — Será que eu fiquei mais tempo na base? — preocupou-se, levantando-se da cama. Abriu a porta do quarto. Silêncio. "Devem estar todos dormindo..." Foi até a cozinha pegar um copo d'água. Sentado à mesa, com uma caneca na mão, seu tio Bento arregalou os olhos ao vê-lo.

— Deixe-me adivinhar: camomila? — brincou Jonas.

— Isso mesmo. Ainda não consigo dormir.

— Que dia é hoje?

— Você ficou desaparecido durante duas semanas. E, nos últimos dias, estava catatônico — revelou Bento.

— Droga. As férias estão terminando e eu não aproveitei nada — dizia até se dar conta daquela resposta. — Como? Duas semanas? Isso não é possível! Pareceram apenas algumas horas...

— Foram eles, não foram?

— Alienígenas que parecem serpente. Fizeram experiências comigo, tio.

— Você viu mais alguém lá?

— Como assim?

— Alguém como nós.

— O Raul Seixas apareceu por lá e cantou uma música. Os monstrinhos fizeram uma dancinha ridícula.

— Ele morreu em 1989... — murmurou Bento.

— Não duvido que tenham clonado o cara. Eles fazem experiências genéticas. Estão criando aberrações metade humana, metade alienígena.

— Por quê? O que pretendem com isso?

— Eles me disseram que no passado eram deuses. E querem recuperar o trono.

— Uma nova era... o novo *aeon*... Você tem certeza de que não viu mais ninguém como a gente?

— Por que está insistindo nisso, tio?

— Conversei com o Rui. Ele também esteve com eles. E me disse que encontrou várias pessoas por lá. A propósito, você já viu uma foto do seu avô?

— Nunca. Meu pai não tem nenhuma em casa.

— Eu te apresento Juscelino, seu avô — disse Bento, estendendo em sua direção uma fotografia em preto e branco.

— Prazer em conhecer você, vô. Eu te imaginava diferente.

"Se ele tivesse visto meu pai na nave, como eu vi, ia falar agora", deduziu Bento, tomando um gole do chá, antes de perguntar:

— Você já se sente melhor?

— Estou com muita dor na coxa direita.

Duas pessoas entraram na cozinha às pressas. O coração de Jonas quase saltou para fora.

— Você está bem, filho? — era Raquel, avançando em sua direção.

Antes que Nilton se aproximasse, seu irmão apanhou o retrato do pai e escondeu embaixo da toalha de mesa:

— O que aconteceu, filho?

— Fui sequestrado por *aliens* sinistros. Mas, se eles fazem churrasco, não sei. Não me convidaram — brincou.

— Tem certeza, filho? — insistiu Raquel.

— Por que eu mentiria? — irritou-se. — O tio Bento já viu aqueles...

— Tudo bem. Sabemos que você não tem motivo pra inventar isso. Sofremos muito com a sua ausência e queremos saber tudo o que aconteceu — contornou Nilton.

— Filho, por que você tirou o curativo que eu fiz? — perguntou Raquel, ao constatar que a ferida estava exposta.

121

— Pra ver se o que aconteceu não tinha sido um pesadelo. Como vocês querem saber, vou contar tudo. Em detalhes.

Os pais escutavam Jonas e trocavam olhares de dúvida. Nilton acreditava na existência de extraterrestres, mas era difícil aceitar o que o filho narrava. Raquel sabia que algo de muito estranho acontecera com ele. Isso era inegável. Mas aquela história de deuses-serpente, batalhas entre alienígenas, fetos modificados e desenvolvidos fora do útero parecia-lhe fantasiosa demais.

— ... E foi assim. Eles disseram que vão exterminar a humanidade e colocar aquelas crianças híbridas no lugar — Jonas terminou e olhou com atenção para os pais, avaliando se eles acreditaram em sua história.

— O importante é que tudo terminou bem — comentou Raquel.

— É isso mesmo — reforçou Nilton.

"Não tenho certeza disso", pensou Bento.

— Quando a gente volta pra São Paulo?

— Daqui a três dias — respondeu seu pai. — Depois de amanhã, o Murilo vai fazer um churrasco na fazenda do Joaquim pra comemorar a sua volta.

— Amanhã quero me encontrar com a Carola.

— Você está com uma ferida feia na perna. Mal consegue andar. Eu e seu pai achamos que é melhor ficar por aqui até o churrasco.

— Nem ferrando — ele retrucou.

— Eu posso trazer a filha da Sofia pra almoçar com a gente amanhã — sugeriu Nilton.

— Mas eu quero conversar com ela sem ninguém me atrapalhando.

— Depois do almoço, sua mãe, seus tios e eu iremos pra casa da Delza e do Jairo...

— Mas vai ter que prometer que se comportará direito — brincou Raquel.

Ao fechar os olhos, Carmem teve a impressão de ouvir algo rastejando embaixo da cama. Acendeu a luz do quarto. Silêncio. A vontade era correr dali. Mas temia colocar os pés no chão. E ser agarrada pelo monstro-serpente que a atormentara durante várias noites. Respirou fundo e pegou o celular. Fazia quinze minutos que se deitara. Inclinava a cabeça para fora quando foi surpreendida por uma vibração sobre a cama. Não conteve o grito de pavor.

— O que foi? — perguntou Delza de camisola, escancarando a porta do quarto.

— Desculpe, tia. Acho que me assustei com o celular — respondeu Carmem, apanhando o aparelho. Havia uma mensagem de Carola.

— Não se preocupe. Qualquer coisa, estou no quarto ao lado. É só gritar.

— Boa-noite. Tia... — Carmem chamou-a, quando ela estava prestes a fechar a porta.

— O quê?

— Ouvi um barulho embaixo da cama... A senhora pode ver se tem alguma coisa...

— Pedi à Josefa para colocar todos os monstros para fora. Será que ela não me obedeceu? — brincou Delza, aproximando-se e abaixando a cabeça. — Fique quietinha. Vou chamar seu tio para cuidar disso.

— O que foi? — assustou-se Carmem, colocando-se de pé sobre a cama e arregalando os olhos quando a tia saiu do quarto.

De pijama verde-escuro e com um cabo de vassoura na mão, Jairo chegou em seguida. Ajoelhou ao lado do criado-mudo e disse:

— Como isso veio parar aqui?

— Me tire daqui, tio!

— Calma, menina!

Carmem sentiu os golpes no estrado da cama. Estava prestes a desobedecer a Jairo e sair em disparada quando ele anunciou:

— Pronto. Matei a coitada.

— Uma cobra? — perguntou sua sobrinha, com os olhos arregalados.

— Pra virar cobra, isso aqui precisa de muito arroz com feijão — respondeu Jairo, arrastando para fora uma "serpente" de pele acinzentada que media quase um metro.

— É uma cobra.

— Nunca vi desse tamanho! É uma cobra-cega. Deve ter perdido o caminho de casa — observou, apanhando o animal com a mão esquerda e erguendo o cabo de vassoura na outra. — Comigo não tem conversa mole, mato a cobra e mostro o pau.

— Jogue isso lá fora — ordenou Delza, surgindo no quarto.

— Como esse negócio nojento veio parar aqui, tia?

— A Josefa lavou o quarto hoje. Deve ter vindo de carona no balde. Mas está tudo resolvido agora. Já pode dormir sossegada. Boa-noite — despediu-se, fechando a porta.

Carmem pegou o celular e abriu a mensagem de Carola:

Amiga, minha intuição estava certa. O Jonas acaba de me mandar uma mensagem. Ele está bem e me convidou para almoçar amanhã. Depois te conto tudinho. Torça por mim. Bjs

Respondeu em seguida:

Meu tio acaba de matar uma cobra bem nojenta q estava embaixo da minha cama. Será q ela tem alguma coisa a ver com o templo da mãe serpente q o Alfredo descobriu? Ou com meus últimos pesadelos? Não vou conseguir dormir direito. Estou com medo. Bjs

Depois de enviar a mensagem, sentou-se na cama e abraçou as pernas. "Quem será que levou o Jonas?", pensou, sentindo o celular vibrar. Era uma mensagem de Carola:

Nossa, Carmem! Se eu estivesse no seu lugar, iria desmaiar. Deve ser só uma coincidência. Não pense nisso. Tente relaxar. E durma com os anjos (os de verdade, não aqueles do morro q sacanearam o Jonas). Bjs

Carmem colocou o celular sobre o criado-mudo e apagou a luz. Sentiu um hálito morno e azedo soprando em seu rosto. Virou-se na direção da janela. Mergulhados na penumbra, olhos largos e dourados, com pupilas verticais, pareciam observá-la.

Descobrira aquele lugar ao subir em uma árvore para escapar de algo desconhecido. E voltara a ele em sonhos que se repetiam. Primeiro, ouvia grunhidos horripilantes. Em seguida, corria até o esconderijo. Sem jamais olhar para trás. Respirava aliviado ao fechar a porta. O lugar estava sempre infestado de cobras venenosas. Quando elas começavam a rastejar em sua direção, a estátua do "profeta" ganhava vida e cantarolava, atraindo-as como um encantador de serpentes. Dançando em torno do sósia de Raul Seixas, elas lhe pareciam inofensivas. Naquela noite, o *script* mudou. Prestes a abrir a porta do templo da mãe serpente para se proteger, Alfredo olhou por cima dos ombros. E, pela primeira vez, ficou frente a frente com o implacável perseguidor. Sentiu-se paralisado dos pés à cabeça. Deu um grito. E pulou da cama. A camiseta estava colada no suor do corpo. Pegou o celular. Eram 2h30. Foi para a sala e ligou a tevê. Passeou pelos canais. Reconheceu o ator norte-americano Mel Gibson. Resolveu assistir ao filme. Logo o nome apareceu na tela: *Sinais*. Talvez fosse o que precisava para se esquecer do pesadelo e conseguir dormir. Não foi o que aconteceu. Minutos depois de ter ligado o aparelho, estava grudado no sofá. Os olhos quase não piscavam. Sentiu um aperto no peito ao descobrir que a mulher do protagonista morrera atropelada, como sua mãe. E o coração disparou ao se dar conta do enredo do filme: desenhos misteriosos em plantações, luzes estranhas no céu, extraterrestres perversos.

— Acho que prefiro o alienígena inofensivo do outro filme — disse para si, pensando em *E.T. — O Extraterrestre*.

Prendeu a respiração quando a repórter do filme anunciou um vídeo caseiro realizado em Passo Fundo, no interior do Rio Grande do Sul. Junto com um dos personagens, Alfredo assustou-se ao ver o extraterrestre flagrado pela câmera.

— Não pode ser... — murmurou. "É parecido com aquilo que estava atrás de mim", concluiu, lembrando-se do pesadelo que o arrancara da cama.

— Será que o Jonas foi levado por isso? — indagou-se. "Será que ele conseguiu fazer alguma foto ou vídeo com o celular?"

Jonas e Carola almoçaram em silêncio. Os olhares se cruzaram várias vezes. Apesar de felizes, o reencontro era estranho. Na presença de seus pais e tios, Jonas sentia-se pouco à vontade para iniciar uma conversa com ela. Queria ficar a sós. Queria ouvir a resposta à pergunta que fizera no primeiro dia de acampamento. O momento chegou em menos de meia hora.

— Vamos fazer uma visita ao Jairo e à Delza. Comporte-se — disse Raquel, olhando para Jonas.

— No meu estado, mãe, é mais fácil a Carola abusar de mim — brincou seu filho.

— Pode ficar tranquila — respondeu a garota, com um sorriso tímido.

— Não vamos demorar — informou Nilton.

— Por mim, podem passar a tarde inteira lá — murmurou seu filho, assim que ele fechou a porta.

Levantou-se com dificuldade e foi em direção a ela. Com preocupação nos olhos, Carola foi ao seu encontro. Os dois se abraçaram.

— Ainda bem que você voltou — ela sussurrou no ouvido de Jonas.

— Espere um pouco aqui — ele respondeu, mancando em direção ao quintal da casa.

— Aonde você está indo? Posso te ajudar?

— Me ajude ficando aí.

Minutos depois, Jonas voltou carregando uma rosa vermelha. Carola sorriu e disse:
— Pensei muito em você.
— Me desculpe, mas eu não consegui pensar em você. Eles não deixaram. E eu não sabia que tinha perdido tantos dias. Para mim, pareceram apenas algumas horas. Acho que os desgraçados me drogaram — explicou Jonas.
— O que aconteceu?
— É uma longa história...
— Tenho tempo...
— Criaturas sinistras me pegaram...
— Extraterrestres? Como eles eram? — adiantou-se Carola.
— Imagine o cruzamento de homem com cobra.
— Que horror! O que queriam com você?
— Eles ficavam dizendo que eu sou o escolhido.
— Em português?
— Por telepatia. Fizeram experiências terríveis comigo e disseram que vão exterminar a humanidade para colocar aberrações no lugar. Estão cruzando, em bases subterrâneas, a espécie humana com a deles.
— Por que estão fazendo isso? — indagou Carola, com os olhos arregalados.
— Eles explicaram que milhares de anos atrás os humanos achavam que eles eram deuses. Mas chegaram "alienígenas" mais poderosos e eles precisaram se esconder. Acho que estão preparando um contra-ataque. E nós estamos no fogo cruzado.
— Fala sério, Jonas! Isso me dá arrepios — comentou Carola, passando as mãos em seus próprios braços. — Conta mais.
— Outra hora eu continuo. Agora quero que você fale...
— Falar o quê? — ela esquivou-se. Sabia o que ele estava querendo.

— Uma resposta.

— Não sei se você vai gostar da minha resposta...

— Como não? Pensei que você gostasse de mim...

— Eu gosto. E muito. Esse tempo que você ficou desaparecido serviu pra me mostrar quanto você é importante na minha vida. Eu chorei todos os dias — explicou Carola, pausando a fala e desejando que ele a compreendesse.

— E...

— Eu queria que a gente tivesse ficado mais vezes. As férias passaram voando e a gente quase nem se viu.

— Isso não é culpa minha!

— Eu sei que não. Mas eu não sei dar uma resposta sem ter, primeiro, certeza do que eu quero.

— Você não quer ser minha namorada?

— Eu gosto de você, mas não tenho certeza se quero namorar. Não agora. Quando você fez o pedido pela primeira vez, percebi que você também não estava certo do que queria — retrucou Carola, girando a rosa na mão direita.

— Como não? Se eu fiz o pedido é porque tinha certeza.

— Você me pediu em namoro porque não queria que eu arranjasse um namorado em Ribeirão, não por gostar muito de mim. Eu te disse que não sou de ficar com qualquer um. Não gosto disso. Se a gente ficou é porque eu sentia, e sinto, algo diferente por você.

— O que você sente por mim? — Jonas perguntou, cruzando os braços e olhando para baixo. Sentia-se rejeitado.

— Não sei direito. Eu te adoro. Sinto vontade de ficar perto de você, ouvir sua voz... Gosto do jeito que você me olha...

— Continuo sem entender. Você está a fim de outra pessoa? — ele disparou, levantando o rosto e encarando Carola.

— É, estou — ela rebateu, impaciente. — Você ficou tanto tempo fora, que acabei me apaixonando pelo Vicentinho. Deixe de ser um bobo ciumento.

— Não sou ciumento.

— Conversei com minha mãe sobre seu pai. Ela me contou que eles se amavam, mas não puderam ficar juntos. Minha avó proibiu o namoro.

— Por quê?

— Sua avó e meu avô Rubens tiveram um caso.

— E daí?

— Seu avô descobriu e se matou. Mas antes disso, ele escreveu uma carta secreta pra minha avó.

— O que a carta dizia?

— Ela morreu sem revelar nada. Mas fez minha mãe jurar que jamais ficaria com seu pai.

— Que história sinistra! Já sei! Você não quer me responder porque ficou impressionada com ela — concluiu, vitorioso. — Mas isso foi problema dos nossos pais, não é nosso.

— Deixe de besteira. Eu já expliquei. Talvez se você não desencanar de mim até as próximas férias e me escrever sempre, quem sabe...

— E o que eu faço agora?

— Me beije — respondeu Carola, fechando os olhos.

UM GRUPO SECRETO

ALÉM DE SER UMA COMEMORAÇÃO PELA VOLTA DE Jonas, o churrasco era uma despedida dos amigos. Provavelmente, eles se reencontrariam apenas nas próximas férias de julho. Nilton, Raquel e o filho foram os últimos a chegar.

— Disfarça, Carmem — sussurrou Carola, observando Jonas mancar na direção das duas.

— Por quê? — ela perguntou, sem entender o motivo de a amiga ter interrompido a frase na metade.

— Não quero que o Jonas fique convencido sabendo que estou falando dele — justificou.

— Vamos mudar de assunto. Depois você termina a história.

— Depois do churrasco, vou para a casa da tia Cândida. Não sei a que horas meu pai vai querer voltar pra Ribeirão.

— Então me mande um *e-mail* contando todos os detalhes.

— Oi, Alfredo. Oi, Vicentinho — Jonas saudou os amigos que conversavam no canto oposto ao das meninas.

— Oi, Jonas — responderam.

— O que aconteceu com sua perna? — quis saber Vicente ao vê-lo mancar.

— Vou contar o que aconteceu comigo, mas quero que todos ouçam pra não ter que repetir tudo depois.

— Vou chamar as duas — ofereceu o amigo de Belo Horizonte.

Elas vieram logo. Carola sorriu e abraçou Jonas.

— Tudo bem? — perguntou Carmem, cumprimentando-o com um beijo no rosto.

— Agora sim. Mas passei por maus momentos. Naquela noite, fui levado por criaturas sinistras a bordo de uma nave espacial. Pedi ajuda, mas vocês não acordaram.

— Não ouvi nada — protestou Carola.

— Eu também não — disse Carmem. "A Carola nunca ia me perdoar se soubesse que eu ouvi...", completou em pensamento.

— Quando percebi, estava flutuando em direção à abertura de um disco voador...

Enquanto isso, os pais conversavam perto da churrasqueira.

— Essa semana, vamos levá-lo a um fisioterapeuta — explicou Raquel.

— Acredito que serão necessárias algumas sessões de terapia — completou Nilton.

— Por quê? — perguntou Regina. — Ele parece muito bem.

— A experiência foi traumática... — justificou Estela, mãe de Carmem e psicóloga — ... e pode ter consequências imprevisíveis no futuro se não tiver um acompanhamento adequado.

— Como assim? — preocupou-se Raquel.

— Traumas fortes podem desenvolver psicoses. Não estou dizendo que seja o caso do Jonas. Não sabemos ao certo o que aconteceu com ele. Um psicanalista tem os meios para avaliar isso, ajudando a pessoa a superar o que houve e evitando que ela se torne perigosa para si mesma e para a sociedade.

— Não precisa assustá-los — Otávio criticou a esposa. — O Niltinho já disse que vai procurar um psicanalista. Pronto, problema resolvido.

— Eu só queria ajudar, mas você tem razão. Estou dando o diagnóstico sem examinar o paciente — explicou-se, sem disfarçar o constrangimento.

— Ele falou que foi sequestrado por... por extraterrestres — comentou Raquel.

— É provável. Não seria a primeira história assim em Morro do Ferro. Todos nesta cidade já viram discos voadores. Quem aqui não acredita que extraterrestres existem? — questionou Francisco.

— Você não teve medo? — inquiriu Carmem, imaginando o amigo sendo devorado por uma serpente gigantesca, como em seu pesadelo.

— Claro que tive. Pensei que nem fosse sobreviver pra contar essa história. Pior é que para mim pareceram só algumas horas. Perdi quase as férias inteiras. Devem ter me entupido de soníferos. Ainda bem. Imaginem ter que olhar pra aquelas criaturas sinistras todos os dias.

— Como eles eram? — quis saber Vicente.

— Assustadores. Eu me lembro bem daqueles olhos. Eram grandes, largos e dourados. A pele era marrom-esverdeada, com escamas. Eram... homens-cobra.

— Cobra... — murmurou Carmem, sentindo um calafrio.

— Cobra! — disparou Alfredo. — Agora as coisas começam a fazer sentido.

— Que coisas? — quis saber Jonas.

— Na manhã seguinte, fui te procurar. Tropecei e quase fui picado por uma cobra. Pouco depois, cheguei ao templo da mãe serpente — ele revelou, pegando o celular e mostrando para o amigo as fotos de lá.

— Quem construiu isso? Deve ter um acordo secreto com eles — deduziu Jonas.

— Será que os extraterrestres colocaram aquela cobra nojenta embaixo da minha cama? Estou arrepiada — comentou Carmem. "Será que eles me fizeram sonhar com aquele monstro? Será que eles querem me levar também?"

— Talvez — respondeu Jonas, olhando para a amiga de Goiânia. — Me escolheram desta vez. Mas da próxima...

— Eles são maus. Você deve ter sentido muita dor — sussurrou Carola.

— Desmaiei de dor. Tenho certeza de que não deram nenhuma anestesia quando enfiaram aquela coisa na minha perna. E no meu nariz também.

— Posso ver? — pediu Vicente, querendo comprovar a história do amigo. Jonas levantou a bermuda e ergueu o curativo. Todos se entreolharam, crédulos.

— Eles não têm esse direito! — indignou-se Carola. — Quem pensam que são? Deuses?

— Os povos do passado achavam que sim. Eles até me mostraram imagens de deuses-serpente.

— Estão mais para demônios — comentou Alfredo. — Se forem como os do filme que vi ontem na televisão estamos ferrados.

— *Guerra dos Mundos*? — perguntou Vicente.

— *Sinais*.

— Como a gente descobre a verdade? — indagou Carmem, querendo arrumar alguma maneira de se livrar do futuro sombrio que rondava sua cabeça.

— Alguma sugestão? — Jonas rebateu a questão a todos.

A pergunta foi seguida por um silêncio prolongado. Ele mesmo continuou:

— Eu tenho uma proposta.

— Qual? — inquiriu Carola.

— Encarando os "mistérios do desconhecido". Quem sabe a gente não encontra um jeito de dar um chute no traseiro desses deuses bizarros?

— Como a gente faz isso?

— Fuçando em *sites*, livros, revistas de ufologia e por aí vai... Depois, a gente cruza as informações. Eu posso fazer uma lista de discussão com os nossos *e-mails*. Quando alguém descobrir coisas interessantes, todo mundo vai saber.

— O que são "mistérios do desconhecido"? — quis saber Vicente.

— Óvnis, criaturas demoníacas, vampiros, lobisomens... Tudo o que for sobrenatural — respondeu Jonas. — Você nunca assistiu ao *Supernatural*?[3]

— É muito legal — respondeu o mais novo da turma.

---

[3] Produzida pela Warner Bros Television em parceria com a Wonderland Sound and Vision, a série é estrelada por Jared Padalecki e Jensen Ackles, interpretando, respectivamente, Sam e Dean Winchester. Na trama, no ar desde 2005, os dois irmãos trabalham enfrentando demônios e caçando diversas criaturas sobrenaturais.

— Não perco um — comentou Alfredo.

— Vamos dar uma de irmãos Winchester. Quem sabe a gente não consegue contatar os inimigos desses caras?

— Você não acha isso muito arriscado, Jonas? — preocupou-se Carola.

— Perigoso é saber o que a gente sabe e não fazer nada. A raça humana está ameaçada por ETs com cara de serpente — protestou Alfredo.

— É isso aí. Em vez de cruzar os braços e esperar o massacre, a gente deve tentar fazer algo. Vocês topam a minha ideia?

Todos concordaram com a cabeça.

— Eu declaro que, a partir de hoje, a gente faz parte de um grupo secreto que vai se chamar Clube dos Mistérios. A sede vai ser em Morro do Ferro, porque é aqui que a gente se encontra durante as férias de julho. — Jonas passou a noite pensando naquilo e conseguiu atingir seu objetivo.

— Por que secreto? — perguntou Carmem.

— Para que ninguém se meta onde não for chamado.

Na outra ponta do quintal, Otávio tomava um copo de cerveja, alheio à conversa de seus amigos. Em uma das buscas no Morro dos Anjos, conhecera o estranho templo. Mais do que ninguém naquele churrasco, sabia quem o construíra. E conhecia os segredos que ele guardava. Desejava deixar tudo isso para trás, mas, recentemente, algo estranho acontecera. Ele sabia que a cobra-cega que surgira embaixo da cama de sua filha era um animal inofensivo, incapaz de dar um bote fatal. Ele sabia que ela fora carregada, possivelmente, em uma bacia d'água. Mas isso não acontecera por acaso.

Aquela cobra-cega devia esconder algo devastador. "Será que eles estão interligados de alguma maneira?", questionou-se, observando Jonas conversar com os amigos.

— Pensando na morte da bezerra, Otávio? — era Antônio, segurando uma tábua com pedaços de carne.

— Antes fosse...

— O sequestro do Jonas mexeu com todo mundo. Ainda bem que ele está de volta. Quer uma picanha malpassada?

"O rapaz que voltou não é o mesmo que foi", pensou Otávio, antes de responder:

— Quero sim. Obrigado.

— Você acredita que foi gente de outro planeta?

— Sim e não.

— Ou é sim, ou é não — rebateu Antônio, olhando para o amigo à espera de uma explicação.

— Acho que não foi gente daqui, da Terra.

— Então, foi de outro planeta.

— Ou de outra dimensão — respondeu Otávio. Não queria prosseguir a conversa. Desejava reunir alguns amigos para discutir o assunto, em sigilo.

— Como assim?

— Você é católico, certo?

— Com a graça de Deus.

— Os anjos são extraterrestres, mas não habitam em Marte, em Vênus ou Plutão.

— Claro que não. Estão no Paraíso.

— O Paraíso fica na Terra?

— Não.

— Então os anjos são extraterrestres. Mas não estão em outro planeta. Estão em outra dimensão — explicou Otávio, tomando um gole de cerveja.

— Os demônios também... — concluiu Antônio, arregalando os olhos.

— Eles também são extraterrestres. Mas ouvi dizer que vivem embaixo da terra — brincou o pai de Carmem, piscando o olho direito.

— Você acha que os demônios fizeram isso com o Jonas?

— Toninho, queremos picanha quente. Você está dando um tratamento privilegiado ao Otávio — brincou Nilton.

— Já estou indo — disse, afastando-se.

— Foram eles... — murmurou Otávio, virando o rosto na direção de Jonas, que parecia não se preocupar com o que acontecera com ele. Gesticulava com as mãos, enquanto contava aos outros os detalhes de sua aventura. Com o grupo reunido em torno dele, o contato com os "extraterrestres" deixava de ser um pesadelo. Aquilo o tornava especial. Ele era o escolhido.

"Você vai pagar um preço caro por isso, rapaz. Espero que minha filha fique de fora", Otávio torceu em pensamento.

EXISTE ET BONZINHO?

Especialistas em biologia extraterrestre (exobiologia) distribuem as formas de vida alienígena em cinco categorias: Alfa, Beta, Gama, Delta e Ômega. Entre elas, há desde os parasitas e predadores, como os *greys* (os cabeçudos cinzentos com enormes olhos negros) e os *reptilianos*, até os "missionários", preocupados com o crescimento espiritual da humanidade, como os centaurianos e os arturianos. Os ETs bonzinhos fariam parte da Confederação Intergaláctica.

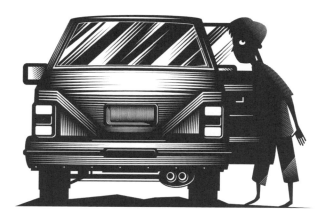

MARCADO PARA O RESTO DA VIDA

MURILO, SOFIA E CAROLA FORAM OS PRIMEIROS A deixar a cidade.

— Sacanagem, pai. Eu queria ter ficado mais. Acho que só a gente volta hoje.

— Parece que o Otávio e o Chiquinho também vão voltar.

— E a Estela, hein Murilo? — disse sua esposa, querendo iniciar uma conversa.

— Perdeu o bom senso. Onde já se viu falar na frente do Niltinho e da Raquel que o filho pode virar psicótico? Ela devia ter guardado os comentários pra fofocar com as amigas de Goiânia.

— Ficou chato pra Estela e, principalmente, pro Otávio. Você viu que ele a repreendeu na frente de todo mundo?

— E com toda a razão. Acho que ela percebeu a besteira que fez e quis consertar.

— O que vocês estão falando? — perguntou Carola, intrometendo-se na conversa dos pais. — Que história é essa de psicose?

— Nada não, filha. Bobagens de psicólogo — respondeu Sofia. — O que importa é que, apesar de as férias terem sido tumultuadas, tudo correu bem no final.

— Bem até demais — comentou Murilo. — Eu fiquei sabendo, por cima, de um certo namoro...

— Para com isso, pai — interrompeu sua filha. — Não estou namorando ninguém.

— Não foi o que me disseram...

— Então mentiram pra você! E não quero mais falar nisso.

Todos ficaram em silêncio. Murilo não gostava de Nilton. Mas o sequestro de Jonas aproximara os dois. Acompanhara o ex-namorado de Sofia em todas as incursões pelo Morro dos Anjos. Vira-o chorar de desespero. E o consolara. "Muito obrigado. Não sei o que seria de mim sem você", Nilton o agradecera pouco antes de o filho ser encontrado. Em um piscar de olhos, a alegria por ter ajudado o ex-rival desapareceu. Seu coração foi tomado por um estranho sentimento. "Ele podia ter sido levado no lugar do filho", pensou, com um brilho perverso nos olhos. Ao seu lado, Sofia evitava pensar no pai de Jonas. Já sofrera muito por sua causa. E, durante as férias, a filha a obrigara a relembrar o passado. Poderia ter se esquivado. Mas o instinto materno falara mais alto. Precisava atender Carola, inconsolável com o desaparecimento do "namorado". "Ela se parecia tanto comigo na época em que fui proibida...", recordava-se.

— Um pouco de música pra distrair — sugeriu Murilo, ligando o rádio.

— Ótima ideia — concordou Sofia.

Não adianta nem tentar me esquecer
Durante muito tempo em sua vida eu vou viver...

Era a música "*Detalhes*", na voz de Roberto Carlos. Sofia suspirou. Fora atormentada por aquela canção nos meses seguintes ao rompimento do namoro com Nilton. A mesma canção quase arruinara o relacionamento com Murilo. Fazia tempo que não a ouvia.

— Isso é perseguição — comentou seu marido, trocando a estação.

Francisco e Regina resolveram partir de madrugada, com o céu ainda escuro. Vicente entrou no carro e dormiu no banco de trás. Sua irmãzinha, Nina, nem acordou.

— Você acredita mesmo que o filho do Niltinho foi sequestrado por ETs? — Regina perguntou ao marido.

— Por que não?

— Não sei. Parece estranho. Tudo bem ver luzes no céu e acreditar que sejam discos voadores ou até ouvir histórias de pessoas que conhecem outras que fizeram contato com ETs, mas daí a acontecer algo assim com alguém tão próximo de nós... É muito esquisito. Difícil de aceitar.

— Não só é esquisito como também assustador. Mas a troco de que ele mentiria?

— Pra fazer a história parecer mais interessante? Pra ser admirado pelos amigos? Sei lá, um jovem da idade do Jonas gosta de chamar a atenção dos outros — justificou Regina.

— Querida, ele ficou muitos dias desaparecido. Os policiais o encontraram na nascente d'água, mas a gente já tinha revirado aquele morro milhares de vezes e nem sinal dele. Quando o Niltinho colocou a mão nas costas do garoto, ele começou a se retorcer no chão. Parecia que estava em convulsão. Foi horrível ver aquilo. Pra mim, ele foi abduzido.

— O que é abduzido? — quis saber Regina.

— Abduzido é uma palavra que os ufólogos, pesquisadores de óvnis, usam quando se referem a alguém que foi raptado por extraterrestres.

— Eles devem ser bem violentos. Você reparou como ele andava?

— Devem ter feito experiências com ele.

— Não sabia que você tinha esse interesse todo por discos voadores, extraterrestres, ab-ab... — Regina enroscou-se na palavra.

— Abdução.

— Isso mesmo. Onde você leu sobre o assunto? Em casa não temos nenhum livro ou revista sobre isso.

— Um colega de trabalho gosta de ufologia e sempre conta um caso durante o almoço. Eu disse que em Morro do Ferro as pessoas veem óvnis quase todos os dias e ele se interessou muito. Quer vir aqui fazer uma vigília.

— Huuummm... O que é vigília?

— Passar a noite em claro observando o céu à procura de sinais de outro mundo.

— Mas que perda de tempo! — comentou sua mulher.

— O que é aquilo? — indagou Francisco, observando uma luz atravessar o céu em velocidade constante.

— Aquilo se chama avião — brincou Regina.

— Acho que está baixo para um avião — ele rebateu, estacionando o carro no acostamento.

— O que você está fazendo, Chiquinho? Vamos embora!

— Não posso perder a oportunidade — respondeu Francisco, abrindo a porta e descendo.

Pouco depois, voltou ao carro, desanimado, e disse:

— Você tinha razão. É um avião.

— Ainda bem, né? Imagine se fosse um disco voador e os extraterrestres resolvessem ab-ab...

— Abduzir.

— Acho que nunca vou aprender essa palavra... Imagine se quisessem levar a família inteira e fazer experiências com a gente? Não posso nem pensar nisso. Sei que é horrível, mas dou graças a Deus por terem levado o filho do Niltinho. Imagine se tivessem levado o Vicentinho? Acho que nunca ia me perdoar por ter deixado ele acampar no meio do mato.

— Pelo que meu amigo ufólogo me contou, os extraterrestres escolhem algumas pessoas desde antes do nascimento. E a abdução pode acontecer em qualquer lugar, no meio do mato ou no próprio quarto.

— Credo, Chiquinho! Acho melhor você ter uma conversa de homem pra homem com o Vicentinho. Ele ficou muito impressionado com a história do amigo. Mas deixe de lado os detalhes assustadores.

— Pode deixar comigo. Quando a gente chegar a Belo Horizonte, converso com ele.

Antônio acordou Alfredo quase às 10 horas. Depois do café da manhã preparado pela sogra, ele e o filho se despediram de Morro do Ferro.

— Pai, você viu o que aconteceu com o Jonas? — Alfredo quis puxar assunto.

— A Raquel disse que ele foi sequestrado por...

— Extraterrestres — completou seu filho.

143

— Isso mesmo. O Otávio me disse que talvez eles venham de outra dimensão, como os anjos e os demônios. Não entendi direito.

— O Jonas confirmou algo que eu já suspeitava. Os alienígenas são homens-serpente, como aquele desenho no templo sinistro.

— Credo! — Antônio deixou escapar, fazendo o sinal da cruz.

— Acho que estão mais para demônios do que para anjos — contou Alfredo.

— Por isso digo que você tem que rezar bastante, para afastar tudo o que seja ruim.

— Quando estava procurando o Jonas, tropecei e caí na frente de uma cobra. Poderia ter morrido ali. Pedi a ajuda da mamãe — revelou seu filho.

— Ela é um anjo, tenho certeza. E te ajudou.

— Acho que ela estava comigo na primeira noite do acampamento. E não deixou que eles me levassem. O Jonas passou por maus bocados. Fizeram experiências terríveis com ele. O coitado não consegue nem andar mais direito. Além de ter perdido quase todas as férias.

— Você gostou das férias?

— Não sei por que a pergunta. Você sabe que eu preferia ter ficado em São Carlos.

— Como se chama mesmo a garota em quem você está interessado?

— Victoria.

— Aposto o que quiser que ela vai ao cinema se você convidar.

— Você acha mesmo? — indagou Alfredo, com esperança nos olhos.

— Claro! Você não confia no próprio taco?

— É... — ele respondeu, pensativo.

— Quando vocês estiverem namorando, não se esqueça de dizer que seu pai é um tremendo boa-pinta e gostaria de saber se ela tem alguma tia solteira dando sopa.

— Folgado. Por que você não começa a ir aos bailes da terceira idade? Devem existir várias tias solteiras rezando pra alguém tirá-las pra dançar — Alfredo tirou um sarro. Sua bronca com o pai terminava junto com as férias.

Jonas arrumava a mala quando alguém bateu na porta do quarto.

— Pode entrar.

— Uma pena você não ter aproveitado bem as férias — disse Bento.

— Quase não fiquei com a Carola, estou todo ferrado...

— E teve que ficar frente a frente com aqueles bichos estranhos — comentou seu tio.

— Acho que foi a pior parte.

— Nunca mais consegui dormir direito desde que vi aquilo...

— Eu também não, tio. Sempre tenho a impressão de que alguém está no quarto, me observando. Ontem, posso jurar que quando acordei de um pesadelo um deles estava lá, me encarando com aqueles enormes olhos amarelos.

— Sempre ouço um zumbido à noite. E acordo com uma voz na minha cabeça.

— O que ela diz?

— Nada que eu consiga entender. Como ficou sua perna?

— A ferida já está cicatrizando. Mas dói muito.

— Posso ver?

— Claro! — disse Jonas, levantando a bermuda e tirando a bandagem.

— Parece uma lua crescente — comentou Bento.

— É verdade — observou seu sobrinho. — Será que significa alguma coisa?

— Ele deve saber...

— Ele quem?

— Isso parece marcação de gado. Acho que eles te marcaram, Jonas — esquivou-se o tio.

— Será que implantaram alguma coisa em mim?

— O quê?

— Sei lá... um rastreador. Já vi isso em alguns filmes.

— Sei não...

— Tio, quem deve saber o significado disso? — Jonas retomou a questão.

— Filho, já está pronto? Temos uma longa estrada pela frente — era Nilton, surgindo no quarto.

— É só fechar a mala.

— Preciso ir pra Oliveira. Só vim desejar uma boa viagem — despediu-se Bento, deixando o sobrinho com uma pergunta sem resposta.

— Até o ano que vem — respondeu Jonas. "O que será que ele está escondendo?", pensou.

Por insistência de Delza e Jairo, Carmem e seus pais partiram para Goiânia depois de um prolongado café da manhã. No início da viagem, Estela começou a discutir com Otávio:

— Ainda não acredito que você tirou minha razão na frente de todo mundo.

— Você perdeu o bom senso.

— Desde quando uma psicóloga perde o bom senso?

— Você assustou a Raquel com besteiras fora de hora. Ela já sofreu muito nestas férias e você colocou mais minhocas na cabeça dela.

— Minhocas? Eu estudei muito pra orientar as pessoas. É isso o que eu faço. Fico muito triste em saber que você não me valoriza!

— O Niltinho já tinha dito que procuraria um psicólogo assim que voltasse a São Paulo. Você foi infeliz nos comentários. Psicose? Isso é ridículo!

— Isso é científico. Em relação ao Jonas, espero que você não precise me dar razão algum dia. Espero que ele passe por cima de tudo, seja lá o que tenha acontecido com ele...

— O Jonas foi sequestrado por extraterrestres que fizeram experiências horríveis com ele — intrometeu-se Carmem. — Se fosse comigo, ficaria traumatizada pro resto da vida.

— Minha filha, não comente isso com as amigas em Goiânia, senão elas vão tirar um sarro da sua cara — orientou a mãe.

— Ele disse como eles eram? — quis saber seu pai, ignorando a mulher.

— Contou. Eram parecidos com cobra — revelou Carmem.

"Como eu imaginava", pensou Otávio.

— Não vai me dizer que você acreditou nisso? Era só o que me faltava...

— Ele disse o que fizeram com ele? — prosseguiu seu pai.

— Vai fazer de conta que eu não existo? — explodiu sua mulher.

— Fizeram experiências. E disseram que vão acabar com a humanidade.

— Ou ele estava mentindo ou delirando — comentou Estela.

— O que eles disseram? — quis saber Otávio.

— Que muito tempo atrás eles eram adorados como deuses. Depois vieram extraterrestres mais poderosos e eles tiveram que se esconder.

— Que imaginação fértil tem o filho da Raquel! Não acha, Tatá?

"Os deuses adormecidos estão preparando o retorno", concluiu Otávio, sem dar ouvido à pergunta de Estela.

— Acho que estou conversando com as paredes — insistiu sua mulher.

— O que você acha que aconteceu com Jonas? Acha que ele ficou escondido durante esse tempo todo, passando fome e sede e, o pior, se machucando, só pra inventar histórias para os amigos? — disparou seu marido.

— Acho que ele foi sequestrado por alguém de carne e osso, sofreu abusos e inventou tudo isso pra não encarar a realidade.

— Falou a psicóloga — provocou Otávio.

— Eu acho que seu pai se curou da alergia a pelos. Por mim, tudo bem se você tiver um cachorrinho. Agora, precisa convencê-lo — vingou-se.

— Legal. E aí, pai? — cobrou Carmem.

— Você ainda me paga por isso, Estela — resmungou seu marido.

Antes de entrar no carro, Jonas virou-se para ver um bêbado que vinha cambaleando pela rua:

— Vão embora. Esta cidade é maldita. Os demônios entram na nossa cabeça e nos levam pro inferno. Eles espetam nosso corpo...

— Entre no carro, filho — pediu Raquel.

— Querida, é o Rui — Nilton surpreendeu-se ao vê-lo.

— Ei, garoto! — ele gritou. — Você também foi escolhido. Agora está marcado e vai carregar a maldição pro resto da vida. De que adianta conhecer o enigma das estrelas se também vai morrer no final?

Jonas tinha vivido um estranho ritual de passagem e partia de Morro do Ferro com um brilho diferente nos olhos. Depois dessas férias, jamais seria o mesmo.

VOCÊ JÁ FOI ABDUZIDO?

Diferentemente do que aconteceu com o Jonas, a maioria das vítimas de sequestros por alienígenas, dizem os ufólogos, não se recorda de nada. Quando volta da experiência assustadora, tem as lembranças bloqueadas. Seu vizinho ou alguém de sua família já pode ter sido levado a bordo de uma nave espacial. Quem sabe você mesmo não tenha sido "escolhido" por eles. Existem formulários com dezenas de questões. A seguir estão as cinco perguntas-chave. Se a resposta for afirmativa a todas, talvez você e Jonas estejam no mesmo barco (e, quem sabe, no mesmo disco voador):

Já acordou paralisado, com a impressão de ter alguém ou algo estranho no quarto?

Ficou por um período de tempo aparentemente perdido, sem lembrar o lugar em que esteve?

Já presenciou luzes em um quarto sem ter ideia de onde vinham?
Encontrou cicatrizes pelo corpo sem se lembrar quem ou o que as causou?
Experimentou a sensação de voar pelo ar sem saber por que ou como?
Eles te pegaram? Quer conhecer a experiência de outros abduzidos e saber quais são os objetivos e planos dos "extraterrestres"? Os livros *A vida secreta* e *A ameaça*, do norte-americano David Jacobs, tentam responder a essas questões. Mas vale um lembrete: eles não têm final feliz.

EPÍLOGO

NÃO ERAM 8 HORAS DA NOITE QUANDO BENTO SE despediu do compadre Chico e de sua mulher, Clotilde. Fazia quase dois meses que não visitava o amigo. Antes de partir, pegou a espingarda no banco de trás e colocou-a no banco do lado. Ligou o rádio. Reconheceu a voz de Rita Lee:

> *Da minha janela vejo uma luz*
> *Brilhando no céu da terra*
> *É azul, é azul*
> *Não é avião, não é estrela*
> *Aquela é a luz de um disco voador.*

— Eita! Depois a Maria vem tentar me convencer que estou com mania de perseguição — disse Bento, mudando de estação. Ouviu a voz de Zé Ramalho, um de seus cantores favoritos. Não conhecia aquela música:

Vieram os deuses de outras galáxias-xias-xias
Ou de um planeta de possibilidades impossíveis
E de pensar que não somos os primeiros seres terrestres
Pois nós herdamos uma herança cósmica
Errare humanum est
Errare humanum est
Nem deuses
Nem astronautas.

— Você deve estar brincando comigo, Juscelino! — berrou, desligando o rádio com um murro. Encostou a caminhonete, apanhou a espingarda e desceu. Foi surpreendido por uma forte luz. Como na primeira vez, avistou uma estranha criatura. Esforçou-se para enxergar os detalhes. Era idêntica à que Jonas descrevera, uma combinação de homem com cobra. Alguém encostou ao seu lado e sorriu para Bento. Era seu pai.

"Eles vão voltar", repetiu a mesma frase do encontro anterior. E, com o dedo indicador esquerdo, apontou para a lua crescente.

— O que você está fazendo aí? — indagou-lhe, apoiando-se no capô da caminhonete.

"Preparando o caminho."

— Por que fizeram aquilo com o Jonas?

"Ele é o escolhido."

Bento foi atingido por um forte zumbido e sentiu tontura. Abaixou a cabeça e gritou:

— Não vão me levar daqui!

Ergueu a espingarda e deu um tiro.

"Não se pode matar quem já morreu", retrucou seu pai, terminando a frase com uma gargalhada. Em um piscar de olhos, a nave disparou e desapareceu no horizonte. Bento entrou na caminhonete. Tremia dos pés à cabeça. A chave escorregou de sua mão. Respirou fundo. Abaixou-se para pegá-la. Conseguiu dar a partida e acendeu os faróis. Não conteve o grito. Um homem vestido de negro bloqueava seu caminho.

— Quem... Quem é você? — gaguejou, com o coração a mil.

O estranho levou o dedo indicador direito aos lábios.

— Está me mandando calar a boca? — retrucou Bento, observando-o virar fumaça.

Fez o sinal da cruz. O rádio ligou sozinho. Ouviu a voz de Raul Seixas:

Quando eu compus, fiz "Ouro de tolo"
Uns imbecis me chamaram de profeta do Apocalipse
Mas eles só vão entender o que eu falei
No esperado dia do eclipse.

Com um soco, desligou novamente o aparelho. Pisou fundo no acelerador. Queria deixar para trás os discos voadores, os segredos escondidos — e revelados — nas canções de Raul Seixas, o sequestro mal explicado de seu sobrinho e as lembranças sombrias de seu pai. Antes de chegar a Morro do Ferro, decidira seguir o conselho do "Homem de Preto": ficar calado. "É melhor continuar sendo um imbecil e deixar para entender essa porcaria toda no 'dia do eclipse'. Vou precisar de muito chá de camomila até lá", pensou. Do alto, olhos mergulhados na escuridão pareciam observá-lo enquanto a lua crescente exibia um sorriso impenetrável.

HOMENS DE PRETO

Os MIB (*Men in black*, em português, Homens de preto) apresentam-se a testemunhas de avistamentos de naves espaciais ou contatos alienígenas como agentes do governo ou da polícia. Vestidos de negro da cabeça aos pés, costumam conversar amenidades antes de questionar sobre a experiência do outro mundo. No fim, tentam convencer as pessoas a aceitarem uma explicação banal para o estranho acontecimento ou a guardarem segredo. Se elas se recusam, tornam-se agressivos e fazem ameaças. Ninguém nunca conseguiu confirmar a identidade dos misteriosos Homens de Preto — as credenciais que exibem são sempre falsas. Especialistas especulam que eles são extraterrestres disfarçados de humanos. Ou robôs construídos com tecnologia alienígena. Também dizem que observam pessoas que simplesmente se interessam pelo assunto... Enquanto lia este livro, não notou nenhuma presença suspeita seguindo seus passos?

CRIE SUA PRÓPRIA AVENTURA

JONAS FOI SURPREENDIDO POR EXTRATERRESTRES, mas que tal surpreendê-los manobrando secretamente seus discos voadores? As vigílias ufológicas, como explicou Francisco, podem ser planejadas. Mas é preciso coragem. Aqui vão algumas dicas para você enfrentar o desconhecido e, quem sabe, ter boas histórias para contar em seu próprio Clube dos Mistérios.

Organize um grupo de amigos, de preferência que acreditem em extraterrestres. A aventura pode ser perigosa. Quanto mais gente, maiores as chances de ninguém se dar mal. Isso não significa que tudo dê certo. Eles sabem quando estão sendo observados e talvez, entre seus amigos, haja um escolhido para passear a bordo de uma nave espacial. E se for você?

Escolha um local como o Morro dos Anjos, ou seja, alto e com a fama de ser visitado com frequência por seres de outros mundos ou dimensões: discos voadores, Mãe d'Ouro, criaturas intraterrenas, anjos (demônios também valem). Para mais informações, procure o grupo ufológico mais perto de sua casa.

Descubra tudo sobre o lugar. Tenha um mapa da região e saiba identificar os principais acidentes topográficos. Eles serão necessários se você quiser calcular a distância e o tamanho da nave. Também é útil saber as rotas aéreas que passam por lá. Você não vai querer bancar o bobo e confundir disco voador com avião, vai? Ah, mais uma coisa, você consegue distinguir balões meteorológicos e satélites?

Tenha as cartas celestes da região para marcar a rota e os movimentos dos eventuais óvnis. Vários *sites* oferecem programas que geram cartas para todos os pontos da Terra em qualquer dia e horário.

Não se esqueça de levar bússola, ela detecta variações no campo magnético do lugar. Fenômeno comum quando os óvnis chegam muito perto, ou resolvem aterrissar para uma missão. Outros objetos úteis: lanternas potentes, binóculos, bloco de anotações e equipamentos para registrar a aventura.

Tenha paciência. Você pode passar noites inteiras a ver estrelas, apenas estrelas.

NOTA DO AUTOR

EMBORA NÃO LEMBRE A DATA EM QUE TERMINEI A primeira versão de *O enigma das estrelas*, farei de conta que foi há exatos dez anos. Talvez tenha sido mesmo. Talvez seja apenas uma mania de "arredondar" datas. Dez anos parecem dar um peso maior ao primeiro livro que publiquei. No original, os personagens ainda trocavam cartas. Acredita? Na primeira edição impressa, em 2005, elas já tinham sido substituídas por *e-mails*.

Dez anos exatos — ao menos na minha cabeça — também insinuam um ponto de virada, o fim de um ciclo e início de outro. Por esse motivo, resolvi fazer algo que, para muitos, é considerado uma heresia literária: revisitei a obra. Porém, claro, respeitando meus primeiros leitores. Isso significa que o livro que chegou às suas mãos é o mesmo — e não é o mesmo — que foi publicado antes.

Explico-me: os personagens são idênticos e a história segue o mesmo fio condutor. Mas ela percorre novos labirintos, esconde novas surpresas e apresenta mais enigmas, deste e do outro mundo. Por exemplo: enquanto na primeira versão o Jonas era sequestrado por extraterrestres conhecidos como *greys* — os cabeçudos cinzentos com grandes olhos negros —, "dez anos depois" ele defronta-se com os temíveis reptilianos. Deixei de lado a "abdução" convencional e explorei lados mais estranhos e obscuros de um fenômeno que segue desafiando a humanidade.

Nessa nova versão, Raul Seixas, nosso "profeta do Apocalipse", pai do *rock* nacional e aficionado de ufologia, também enriqueceu a trama com suas enigmáticas canções. Espero que tenha gostado de mergulhar nesta aventura. Em breve, você terá um novo encontro com Jonas, Alfredo, Carola, Carmem e Vicentinho. No mesmo lugar: Morro do Ferro.

REFERÊNCIAS MUSICAIS[4]

"S.O.S." (1974)
Compositores: Raul Seixas
Intérprete: Raul Seixas

"Disco voador" (1972)
Compositor: Sérgio Reis
Intérprete: Sérgio Reis

"Ouro de Tolo" (1973)
Compositor: Raul Seixas
Intérprete: Raul Seixas

"Novo aeon" (1975)
Compositores: Raul Seixas, Cláudio Roberto e Marcelo Motta
Intérprete: Raul Seixas

---

[4] As canções estão na ordem em que aparecem na história.

"Sociedade alternativa" (1974)
Compositores: Raul Seixas e Paulo Coelho
Intérprete: Raul Seixas

"Detalhes" (1971)
Compositores: Roberto Carlos e Erasmo Carlos
Intérprete: Roberto Carlos

"Disco voador" (1978)
Compositores: Rita Lee e Roberto Carvalho
Intérprete: Rita Lee

"Errare humanum est" (1974)
Compositor: Jorge Ben Jor
Intérprete: Zé Ramalho

"As aventuras de Raul Seixas na cidade de Thor" (1974)
Compositor: Raul Seixas
Intérprete: Raul Seixas